Les Mots des autres.
La passion d'éditer
de Victor-Lévy Beaulieu
est le sept centième ouvrage
publié chez
VLB ÉDITEUR.

VLB éditeur bénéficie du soutien de la Société de développement des entreprises culturelles du Québec (SODEC) pour son programme d'édition.

Nous reconnaissons l'aide financière du gouvernement du Canada par l'entremise du Programme d'aide au développement de l'industrie de l'édition (PADIÉ) pour nos activités d'édition.

Nous remercions le Conseil des Arts du Canada de l'aide accordée à notre programme de publication.

Les Mots des autres

VICTOR-LÉVY BEAULIEU

LES MOTS DES AUTRES

La passion d'éditer

vlb éditeur

VLB ÉDITEUR
Une division du groupe Ville-Marie Littérature
1010, rue de La Gauchetière Est, Montréal, Québec H2L 2N5
Tél. : (514) 523-1182 Téléc. : (514) 282-7530
Courriel : vml@sogides.com

Maquette de la couverture : Nicole Morin
Photographie de la couverture : © Gilles Gaudreau

Données de catalogage avant publication (Canada)
Beaulieu, Victor-Lévy, 1945-
Les mots des autres, ou, La passion d'éditer
ISBN 2-89005-784-4
1. Beaulieu, Victor-Lévy, 1945- . 2. Éditions de l'Aurore - Histoire. 3. VLB éditeur - Histoire. 4. Éditeurs - Québec (Province) - Biographies. 5. Écrivains canadiens-français - Québec (Province) - Biographies. I. Titre. II. Titre : Passion d'éditer.
Z482.B42 2001 070.5'092 C2001-941393-9

DISTRIBUTEURS EXCLUSIFS :

- Pour le Québec, le Canada et les États-Unis :
MESSAGERIES ADP*
955, rue Amherst
Montréal, Québec
H2L 3K4
Tél. : (514) 523-1182
Téléc. : (514) 939-0406
* Filiale de Sogides ltée

- Pour la France :
D.E.Q. – Librairie du Québec
30, rue Gay-Lussac, 75005 Paris
Tél. : 01 43 54 49 02
Téléc. : 01 43 54 39 15
Courriel : liquebec@cybercable.fr

- Pour la Suisse :
TRANSAT S.A.
4 Ter, route des Jeunes
C.P. 1210
1211 Genève 26
Tél. : (41.22) 342.77.40
Téléc. : (41.22) 343.46.46

Pour en savoir davantage sur nos publications,
visitez notre site : www.edvlb.com
Autres sites à visiter : www.edhomme.com • www.edtypo.com
www.edjour.com • www.edhexagone.com • www.edutilis.com

Dépôt légal : 4e trimestre 2001
Bibliothèque nationale du Québec
Bibliothèque nationale du Canada
ISBN 2-89005-784-4

À Catherine Bachelaz
Françoise Campo-Timal
Claudine Lemaire
Louise Loiselle
Monique Thouin,
mes complices en édition.

À part ça, il est normal. Dans la mesure où un éditeur peut être un homme normal, évidemment.

François Gravel

Un

J'avais dix-sept ans, nous habitions le petit Morial-Mort de la misère sociale et culturelle, je voulais devenir biologiste mais, l'argent manquant désastreusement à la maison, je dus cesser de rêver que je deviendrais, tel Jean Rostand que j'admirais, l'explorateur du corps humain et plus particulièrement du cerveau dont la mécanique compliquée me fascinait : mon grand-père paternel avait fini ses jours emporté par la démence, il ne reconnaissait plus rien de son visage quand il se regardait dans un miroir, comme si on lui avait coupé la tête pour lui en greffer une autre, parfaitement étrangère, ce qui l'autorisait à d'énormes et brusques colères ; l'un de mes frères, victime d'un accident de la route, avait vécu un mois dans le coma, son crâne fracturé, et, quand il revint enfin rue De Castille, j'en fus en quelque sorte le gardien parce que son cerveau fonctionnait au ralenti et qu'il avait besoin d'aide afin de le réactiver. Pour me documenter, je lisais Alexis Carrel, Jacques Monod et, bien entendu, celui que je mettais au-dessus de tout : Jean Rostand. Ainsi ai-je longtemps pensé que, si je n'avais pu intervenir en rien dans la fin pitoyable de mon grand-père, j'avais au moins contribué au rétablissement de mon frère grâce à ce que j'avais trouvé dans les livres lus par moi.

Ces livres-là, je les payais en vendant des beignets et des gâteaux de porte en porte dans Morial-Mort, Saint-Michel et Rivière-des-Prairies – tous ces vendredis et ces samedis passés à jouer au colporteur, à affronter des chiens aussi vicieux que leurs propriétaires, à entrer dans des maisons et des logements dans lesquels s'entassaient ces grosses familles que la pauvreté avait chassées de la Gaspésie, de la vallée de la Matapédia et du Bas-du-Fleuve : rue Bellevois, les Gagné étaient vingt-deux à vivre dans un cinq-pièces ; rue Éthier, dans un taudis qui aurait fait honneur aux extravagances du cinéma italien, la mère Nolasco avait dix-sept bouches à nourrir, ce qui explique sans doute pourquoi elle se tenait saoule toute la journée et que, quand j'allais la visiter à la nuit tombante, elle m'achetait pour un prix dérisoire les beignets et les gâteaux que plusieurs heures passées à se faire bardasser dans un vieux station-wagon avaient joyeusement abîmés.

Il y avait toutefois un avantage à vendre ainsi des beignets et des gâteaux puisque, dans le plein de l'été, nous laissions enfin Morial-Mort, Saint-Michel et Rivière-des-Prairies derrière nous pour établir nos pénates dans la région de Pointe-Calumet – des chalets, de petits chemins serpentant dans les sous-bois, de l'eau partout et de belles filles à moitié nues tondant le gazon ou sarclant des fleurs, à quatre pattes dans les parterres, leurs formidables culs s'offrant au regard comme un cadeau du ciel. C'était bien suffisant pour que nous ayions parfois le goût de lambiner, ce qui ne faisait guère l'affaire du Chien, notre employeur ainsi surbroqué par nous parce qu'il avait une face de bouledogue, toute plissée comme les pans d'un accordéon, avec de grosses dents cariées qui lui mangeaient la lèvre supérieure. Son station-wagon n'étant pas réfrigéré, le glaçage des beignets et des gâteaux fondait si vite au soleil que c'est souvent tout dégoulinants qu'ils étaient offerts aux villégiateurs de Pointe-Calumet. Soi-disant parce que nous avions perdu du temps à nous tremper les pieds dans l'eau, le Chien en profitait pour ne pas nous payer complètement ce qui nous était dû. Je faisais alors équipe avec un camarade de l'école Pie-IX, une petite tête qui s'était donné de gros bras en pratiquant les barres parallèles dans l'espoir de contrer les violences qu'un père souvent saoul lui faisait. Ce n'était donc pas un garçon qu'on pouvait berner facilement, habitué qu'il était à recevoir des coups et à en donner. Quand le Chien nous coupa presque de moitié notre paie pour une deuxième semaine de suite, le petit Robert ne tarda pas à ruer dans les brancards, jetant dans un fossé la douzaine de boîtes de beignets et de gâteaux qu'il lui restait encore à vendre. Par solidarité, j'en fis autant et n'eus pas à le regretter puisque c'est cette journée-là que ma vie bascula entièrement, me faisant oublier mes velléités de devenir biologiste dans un monde où la pauvreté me l'interdisait.

Après avoir laissé le Chien et son station-wagon derrière nous, nous volâmes une bicyclette et décampâmes de Pointe-Calumet, moi debout sur le pédalier parce que, si Robert était puissant des bras, il avait les jambes aussi grêles que celles d'une bécasse tandis que les miennes étaient musclées comme celles d'un haltérophile. Sur la vieille bicyclette de ma cousine Thérèse, j'avais grimpé tant de fois les côtes à pic de l'arrière-pays de Saint-Jean-de-Dieu que mes durs mollets auraient fait rêver Henry de Montherlant qui, dans tous ses livres, décrit, superbement faut-il dire, ceux des joueurs de rugby qu'il aimait contempler, une main posée sur son entrejambe.

À la fine épouvante, nous roulâmes ainsi jusqu'à l'autoroute, nous débarrassant de la bicyclette sous un viaduc avant de nous mettre à faire du pouce à tour de rôle, l'autre restant en retrait, question de ne pas effrayer la sémillante conductrice, forte du téton et de la fesse, qui accepterait de nous prendre à bord de sa machine, de préférence rutilante et décapotée. Ce fut plutôt une grosse Buick qui stoppa sur l'accotement de l'autoroute, avec comme chauffeur l'homme le plus bizarre de tous ceux que j'ai rencontrés dans ma vie. Il portait un costume de hussard plein de gros boutons dorés, arborait une petite moustache à la Errol Flynn et ses cheveux gris frisaient en petites boucles sous une casquette à palette dorée comme les boutons du costume. Il parlait sur le bout de la langue, en utilisant des mots aussi longs que la Buick qu'il conduisait du bout des doigts gantés de sa main droite. Un véritable énergumène, le premier homosexuel près de qui, bien malgré moi, je me retrouvai assis, ne sachant trop comment me comporter, sauf pour mes éternuements qui ne cessaient pas, occasionnés par la forte odeur de parfum irradiant du bon samaritain. Ça ne m'empêchait toutefois pas de m'intéresser à son discours qui, entendu du point de vue de Morial-Mort, ne pouvait manquer de m'interpeller. Imaginez ! Nous avions affaire à un libraire, mais d'une espèce singulière puisque spécialisé dans la littérature érotique qu'il importait de France et vendait au Québec pour ainsi dire sous le manteau, le marquis de Sade et Restif de la Bretonne ne plaisant guère aux autorités ecclésiastiques qui contrôlaient alors le commerce du livre, aussi bien en tant qu'éditeurs qu'en tant que diffuseurs.

Ce libraire-là tenait boutique rue Saint-Laurent, près du boulevard Métropolitain. Quand il nous offrit de visiter son commerce, je dus convaincre mon camarade de l'école Pie-IX de m'accompagner, parce que mon imagination, depuis Pointe-Calumet, n'avait pas cessé de courir la galipote, faisant du hussard à petite moustache et à cheveux gris frisés en petites boucles le diable un brin effrayant de toutes les perversités. C'était évidemment le cas, sauf que je n'en aurais la certitude que beaucoup plus tard, ce qui m'autorise à en rester à cette journée qui a changé ma vie, me faisant passer du monde des beignets et des gâteaux à celui de la littérature. À cause d'un simple ouvrage, comme égaré parmi les centaines d'autres que comptait la librairie du bon samaritain, tous très sexués et pour la plupart illustrés de façon fort cochonne, avec des tas de bêtes fabuleuses exacerbant les plaisirs de la fornication. Dans un pareil univers, comment un livre tel celui de la correspondance de l'éditeur Jules Hetzel avec Victor Hugo, Jules Verne et George

Sand avait-il bien pu se retrouver entre le *Vénus à la fourrure* de Sacher-Masoch et le *Psychopathia sexualis* de Krafft-Ebing ? Le libraire n'en savait rien lui-même. Quand je lui appris mon engouement pour le Victor Hugo des *Misérables* que je savais presque par cœur à force de le relire, il m'offrit le gros ouvrage, une pure merveille d'édition et de reliure, qui changea totalement ma perception de l'écriture.

Jusqu'alors, je ne m'étais pas vraiment intéressé au livre en tant qu'objet, occupé que j'étais à me colletailler avec les mots, ce qui me demandait tout mon petit change parce que je venais culturellement de loin, d'une nombreuse famille peu parlante pour laquelle seule la musique comptait. Mes grands-mères jouaient de l'accordéon et du violon, mes grands-pères du ruine-babines, mes tantes du piano, mes oncles de l'harmonium et de l'orgue ; mes cousins, tous embrigadés dans la fanfare des Trois-Pistoles, astiquaient le cuivre de leurs bassons, trompettes et clairons, comme des dieux dans leurs costumes gris aux pourtours frangés d'or. Mon père lui-même pratiquait plusieurs instruments avec une facilité déconcertante. Lui mettait-on une mandoline dans les mains que, sans en avoir joué jamais, il ne lui fallait qu'une quinzaine de minutes avant d'entrer vraiment en charivari. Moi, je me serais contenté d'apprivoiser le ruine-babines mais, comme ma mère, je ne suis toujours arrivé qu'à faire hurler de déplaisir le chien de la maison. Mon père prétendait que je souffrais d'une infirmité d'oreilles qui m'interdisait tout recours à la musique. Comme je n'avais aucun talent pour le dessin non plus, sauf dans les ectoplasmes dont je barbouillais mes livres de lecture, je ne m'intéressai bientôt plus qu'aux mots, ce qui consterna longtemps mes parents. Par mon père, nous étions apparentés de loin aux Nelligan, la grand-mère d'Émile étant une Hudon du Bas-du-Fleuve, souche mère des Beaulieu originaires de Rivière-Ouelle. La légende du poète devenu fou et interné à l'asile de Longue-Pointe circulait donc beaucoup dans la famille. Par elle, la poésie était déconsidérée et tout usage non essentiel des mots perçu comme une extravagance menant droit à la folie. Quand je me mis à écrire, à lire et à faire bibliothèque dans cette chambre que je partageais avec quatre de mes frères, ma mère en fut épouvantée : n'allais-je pas, par mes mots et ceux des autres que je dévorais littéralement, me retrouver du mauvais bord de la famille, là où l'esprit catastrophé de Nelligan s'en était allé à jamais ?

« Quand je pense que tu vas lire toutes ces folleries-là ! » se plaignait ma mère dès que je rentrais à la maison avec quelques livres sous le bras, déguerpissant vite dans ma chambre avant que mon père intervienne à son tour et menace de jeter ma machine à écrire par la fenêtre.

En fait, je ne lisais et n'écrivais pas vraiment dans cette chambre puisque rares étaient les moments où je pouvais m'y retrouver seul, aussi bien dans le plein du jour qu'au milieu de la nuit : quand ce n'était pas mon frère aîné qui, sur un bien vilain pick-up, écoutait le soldat Lebrun ou Paul Brunelle, j'avais affaire au cadet qui se prenait pour Charles Aznavour et lyrait ses chansons tout de travers. Le balcon donnant sur une ruelle était le seul havre de paix dont l'accès m'était possible. J'y écrivais à la machine, assis sur une chaise de jardin, une poubelle en guise de pupitre, ou bien j'y passais mes soirées à lire ces ouvrages en format de poche que j'achetais dans leur ordre de parution, la grande majorité des auteurs m'étant absolument inconnus !

Je me souviendrai toujours de ce soir-là où, revenu de chez mon étrange libraire de la rue Saint-Laurent, j'enjambai le garde-fou de fer forgé de la galerie avant de me laisser tomber sur la chaise de jardin qui me servait de fauteuil. Je lus d'une traite la correspondance échangée entre Jules Hetzel et Victor Hugo, fasciné par les découvertes multiples que je faisais. Moi qui croyais qu'un livre n'était qu'un amalgame de mots distribués n'importe comment sur des feuilles rassemblées par paquets, je fus sidéré de voir à quel point était complexe le processus au terme duquel un manuscrit devenait ce qu'on appelle un livre. Hugo discutait de tout avec son éditeur, des licences qu'il se permettait comme auteur, les orthographiques comme les grammaticales, de l'emploi des capitales, de l'usage des lettrines, des vignettes et des culs-de-lampe, de l'organisation des belles pages, des blancs de tête et des blancs de pied, de leur foliotage ou du foulage des épreuves de presse. Et quelles remises en cause, toujours, des choix typographiques de son éditeur, Hugo interrogeant la beauté ou la laideur des caractères dits antiques ou bâtons parce que, par opposition aux autres, ils sont dénués de ces empattements qui enjolivent leurs contours.

Ainsi donc, c'est en lisant la correspondance de Hetzel avec Hugo que je compris que l'édition d'un livre était un monde en soi, régi par des lois et des règles aussi strictes que celles qui permettent le gouvernement harmonieux des sociétés. Pour un maniaque comme moi, ce fut une véritable révélation, ne serait-ce que du simple point de vue du vocabulaire, en lui-même poétique, qui sous-tend tout passage d'un manuscrit en sa forme achevée de livre. Par exemple, j'appris qu'une *police* n'était pas toujours un agent de la force constabulaire, mais l'assortiment complet des caractères typographiques de même *graisse* et de même *famille*, que chaque lettre porte une *matrice*, un *œil*, une *panse* et des *empattements*, et que ceux-ci peuvent être aussi différents les uns des autres que les races peuplant la terre. Grâce à Hetzel et à Hugo, chacun des mots imprimés sur du papier prit pour moi une valeur symbolique parce que dégageant autrement plus de sens qu'il ne paraissait en porter.

Sans la lecture du gros ouvrage consacré à Hetzel, serais-je devenu éditeur, d'abord à l'école Pie-IX où je fus le directeur du journal *L'Envol* avant de fonder, par caractère rebelle, *L'Insolent,* que je mettais en pages moi-même, me prenant parfois pour un illustrateur, sans doute le plus mauvais que le monde de l'imprimé connut jamais ? Sans la lecture des lettres de Victor Hugo à son éditeur, aurais-je eu pour les mots des autres cette passion qui, sans qu'il y ait de cesse, a accompagné mon travail d'écrivain, l'a nourri et fortifié ? Aurais-je aussi été tenté par le journalisme en dépit de ce que les mots peuvent y avoir de précaire et d'éphémère ? Pour tout ce qu'on entreprend de sacré par-devers soi, la venue d'un acte fondateur est essentielle ; sans cet acte, on reste dans l'en deçà de sa propre réalité, on navigue autour de tous les continents mais sans jamais entrer dans aucun, en marge de la beauté.

De cette beauté-là, j'avais un tel besoin que, malgré mon incompétence, je décidai de devenir journaliste, un métier pouvant convenir à quelqu'un désireux de nourrir la curiosité du romancier en train de s'éveiller en lui. Après un court stage comme scripteur publicitaire à la station de radio CKLM, je travaillai à la pige, dans l'empire naissant de Pierre Péladeau, interviewant les stars du petit écran pour *Nouvelles illustrées* ou trafiquant les rapports de police en faits divers dans les commencements du *Journal de Montréal*. C'est ainsi que je fis la connaissance de Bernard Valiquette, cet éditeur québécois méconnu qui, vers la fin de la deuxième Grande Guerre, publia à Montréal les œuvres poétiques complètes de Victor Hugo, faisant tirer cinq mille exemplaires de l'ouvrage qui s'épuisa en quelques mois seulement. Trouvant que je perdais mon temps à scribouiller sur le monde du spectacle, Valiquette me conseilla d'aller frapper à la porte de Jean-Charles Harvey, alors directeur du *Petit Journal*. J'hésitai longtemps à le faire, impressionné par cet auteur, car la lecture interdite des *Demi-civilisés* m'avait valu plusieurs heures de retenue à l'école Pie-IX. Harvey vivait toujours dans les odeurs du scandale qui avait suivi la parution de son roman, ce qui en avait fait un vieil homme grincheux et arrogant, aux idées réactionnaires parce que foncièrement petites-bourgeoises.

J'arrivai très tôt un matin de fin d'hiver aux bureaux du *Petit Journal*, accueilli par une secrétaire qui me dit que M. Harvey était à Québec et qu'il n'en reviendrait qu'en fin d'après-midi, donc trop tard pour me recevoir. Étant trop pauvre pour me payer un deuxième voyage en autobus et un lunch supplémentaire, je rétorquai à la secrétaire que je préférais rester là où j'étais, quitte à me tourner les pouces toute la journée. Sans doute dans l'espoir de se débarrasser de moi, la secrétaire me conseilla d'aller faire un tour dans la salle de rédaction, par ailleurs déserte, les journalistes n'y arrivant que sur l'heure du midi. C'est ce que j'appris d'Eugénio Pilote, l'un des réviseurs et des correcteurs d'épreuves besognant au *Petit Journal*. Il m'emmena dans la salle des archives, rebaptisée « morgue » comme dans tous les journaux, et je fus sidéré par tout ce qu'on y avait conservé depuis les débuts du journal, des milliers de photos, d'illustrations et de coupures de presse constituant une véritable mémoire imprimée de la vie quotidienne des Québécois depuis presque un siècle. Quand j'apprendrai, quelques années plus tard, qu'à la fermeture du journal on jeta au dépotoir d'aussi importantes archives, j'en fus indigné, tout autant que Jacques Ferron le fut quand le cardinal Léger fit aussi jeter au dépotoir une partie de la riche bibliothèque du Palais épiscopal.

Ma visite de la « morgue » terminée, je suivis Eugénio Pilote dans les souterrains du *Petit Journal*, là où on composait et mettait en pages les articles publiés dans le journal. Je n'avais jamais vu de linotypes, ces énormes machines-outils dont on se servait alors pour aligner les caractères typographiques. Tubal-Caïn, le premier forgeron de l'humanité, aurait été aussi impressionné que moi de voir ces formidables engins produire de la beauté. Lorsque je lirai l'*Ulysse* de James Joyce, je préférerai à tous les autres ce chapitre dans lequel Léopold Bloom, vendeur d'annonces de son métier, se retrouve avec Stephen Dedalus dans l'antre sacré du journal de Dublin, parmi les journalistes, les protes et les linotypistes, le bruit des machines-outils accompagnant celui des rumeurs publiques, dans une société en voie d'être chambardée par la découverte de la fission de l'atome et de la relativité de l'espace-temps. Bien que le façonnage d'un livre ou d'un journal ne ressemble guère aujourd'hui à ce que je vis dans les ateliers du *Petit Journal*, la même qualité d'émotion me visite encore toutes les fois que mon métier d'éditeur m'autorise à mettre les pieds dans une imprimerie – odeurs des encres, bruits des plaques qu'on ajuste sur les rouleaux des rotatives, planchers qui vibrent quand ça se met en train et que les feuilles, par paquets, se retrouvent sous la guillotine avant d'être reliées entre elles par une longue lichée de colle.

Ma curiosité étant grande, je n'eus pas assez de toute cette journée que je passai au *Petit Journal* pour la satisfaire. Quand Jean-Charles Harvey arriva enfin de Québec, je me trouvais assis devant la porte de son bureau, en train de relire pour la centième fois peut-être la première page de mon roman *Mémoires d'outre-tonneau* dont j'apportais partout le manuscrit, qu'un linotypiste s'était amusé à composer pour moi, m'en faisant une épreuve sous forme de ce qu'on appelait alors une galée. Dire l'émotion que je ressentais à voir imprimées ces quelques lignes écrites par moi, je ne le peux vraiment tellement c'était au-delà de ce qui peut s'exprimer. Je retrouvai quelque peu mes esprits lorsque Jean-Charles Harvey me demanda d'une voix bourrue pourquoi je tenais tant à le voir. Je lui expliquai que j'étais pauvre, que je rêvais d'être romancier et que, tels Hemingway et Roger Lemelin, je comptais sur le journalisme pour survivre tant que je ne serais pas édité. Harvey aurait pu rire de ma naïveté, mais il ne l'a pas fait. Il me suggéra plutôt de lui proposer des sujets d'articles qu'il s'engageait à publier s'ils lui agréaient. Il me fit don aussi d'un pamphlet qu'il avait fait paraître à compte d'auteur, qui s'intitulait *Les Armes du mensonge* et dans lequel il pourfendait le communisme russe qu'il rendait responsable d'une conspiration mondiale contre la liberté de pensée et d'action. Je l'écoutais m'en parler sans me sentir vraiment concerné, mes lectures d'alors me portant davantage vers Artaud et Kafka que vers les auteurs critiquant politiquement la société. J'aimais ce qu'il pouvait y avoir de visionnaire dans les mots, pas ce qui les obligeait à se contracter.

Si j'insiste sur cette rencontre avec Jean-Charles Harvey, c'est qu'elle fut déterminante dans la naissance de mon écriture. C'est au *Petit Journal* que j'appris les rudiments du journalisme et que je me forçai à m'intéresser à tout ce qui se passait autour de moi, aussi bien l'étrangeté que la banalité afin d'interroger les signes qui les portaient. Peu après la démission d'Harvey comme directeur du *Petit Journal*, on me demanda de diriger les pages dites culturelles de *Dernière Heure*, un journal paraissant le dimanche. C'était en 1967, peu après l'ouverture de Terre des Hommes, cette grande exposition universelle dont le général de Gaulle se servit si habilement quand il clama, du haut d'un balcon de l'hôtel de ville de Montréal, son retentissant « Vive le Québec libre ! » Fédéraliste, le directeur de *Dernière Heure* écrivit là-dessus un éditorial si méprisant que je démissionnai du journal, laissant sur le rouleau de ma machine à écrire une lettre éloquente d'indignation.

J'allais bientôt avoir vingt-deux ans, je me retrouvais chômeur, sans rien derrière ni devant moi, comme mes frères qui devaient travailler en tant que journaliers à tondre des gazons, à faire du ménage, à livrer à bicyclette les commandes téléphoniques de l'épicerie Houle ou à faire l'inventaire des clous, des vis et des crochets pour le quincaillier Oscar Ravary. Je ne voulais pas de ce genre de vie, de cette pauvreté-là du corps et de l'esprit, j'avais besoin de rêver autrement, grâce aux mots des autres que je lisais et aux miens que j'écrivais, si nombreux à se bousculer en moi que je savais déjà que ma vie ne serait jamais assez longue pour me permettre d'en rendre complètement compte. Dans cette taverne de la rue Saint-Hubert où je m'étais réfugié après avoir marché des bureaux de *Dernière Heure* jusque-là, ainsi me sentais-je aussi désespéré qu'en ce temps honni où la poliomyélite avait fait de moi un infirme couché sur un panneau de bois de l'hôpital Pasteur, le côté gauche du corps atrophié par la maladie, y compris ma main d'écriture, raison supplémentaire pour confirmer mes parents dans l'idée que l'usage des mots, quand on les fait venir de la pauvreté, ne peut que mener à la folie et à l'internement.

Je rentrai chaudaille à la maison, prêt à m'opposer à mes parents dont je savais déjà de quelle colère ils exploseraient dès que je leur apprendrais que, par admiration pour le général de Gaulle, j'avais démissionné de *Dernière Heure*. Quand je me pointai enfin dans la cuisine, mon père et ma mère étaient assis à la table et devisaient joyeusement, du café et des biscuits devant eux. J'aurais voulu virer de bord aussitôt parce qu'il ne leur arrivait pas souvent de rire et que je ne me sentais pas le droit, par mes extravagances, de mettre fin à leur plaisir. Lorsque, sur les instances de mon père, je m'approchai de la table, mon côté fils rebelle avait déjà repris le dessus et j'étais prêt à faire face à n'importe quelle musique discordante, les bras croisés ainsi que j'en avais pris l'habitude dès qu'un conflit menaçait de m'opposer à mes parents. Je m'attendais à me faire enguirlander, ne serait-ce que pour ne pas avoir prévenu que je manquerais le souper, qui avait quelque chose de sacré dans ma famille, mon père en profitant pour satisfaire le prêcheur veillant en lui, mais ce qui se passa fut bien différent.

Ma mère prit le petit calepin qui était sur la table et dans lequel elle inscrivait ce que sa mémoire, trop sollicitée, risquait d'oublier, les petits riens de la vie domestique tels la nourriture à acheter, le linge à repriser, les fêtes à célébrer ou les courses à faire faire par l'un ou l'autre des enfants, selon un système comptable dont elle était la seule à connaître la logique. Elle feuilleta le calepin, cherchant ce qu'elle y avait noté pour moi, puis, redressant la tête, elle dit :

« Quelqu'un t'a appelé au moins trois fois aujourd'hui. Il a dit se nommer Michel Beaulieu et vouloir te parler d'un livre que tu lui as envoyé. Il te demande de le rappeler le plus rapidement possible, même ce soir si tu peux. »

Ma mère ayant mal noté le numéro de téléphone de Michel Beaulieu, je dus recourir à mon propre carnet afin de pouvoir le rappeler. J'avais soumis aux Éditions de l'Estérel l'un des nombreux romans que j'avais écrits en tapant comme un déchaîné sur ma machine à écrire, assis sur la galerie derrière la maison. C'était au moins le dixième que je présentais à un éditeur depuis que, à l'âge de quatorze ans, j'avais décidé que je serais romancier. Les premiers, je les avais envoyés chez Fides et chez Beauchemin, ce qui m'avait valu d'être reçu par des directeurs littéraires qui, tout en m'encourageant à continuer d'écrire, m'avaient inquiété lorsqu'ils m'avaient demandé si j'étais homosexuel. L'un des deux m'avait même invité à souper chez lui aux chandelles et m'avait serré *amicalement* un peu trop fort à mon goût, de sorte que j'avais décampé, si horrifié que j'en avais oublié de remettre mes par-dessus, me retrouvant dehors par tempête de neige dans les souliers empruntés, comme le reste de mon vestimentaire, à l'un de mes frères. J'oubliai donc Fides et Beauchemin et me tournai vers Alain Stanké qui dirigeait les Éditions de l'Homme. Il accepta l'un des romans que je lui soumis, mais qui ne fut jamais publié, parce que le Conseil des Arts du Canada lui refusa la subvention demandée pour l'éditer et que le propriétaire, M. Lespérance père, défuntisa entre-temps, ouvrant une succession qui mit tant de temps à se régler que je décidai d'aller voir ailleurs si j'y étais.

C'est ainsi que j'avais envoyé à Michel Beaulieu le manuscrit de *Mémoires d'outre-tonneau*, écrit en trois semaines dans le petit meublé que l'un de mes frères louait sur le boulevard Pie-IX et qu'il avait déserté pour des vacances en Gaspésie. Quelle liberté, dieux de tous les ciels ! Et quelle jouissance ce fut de travailler jour et nuit, de ma main gauche avec laquelle je me réconciliais enfin, deux ans après l'avoir perdue à cause de la poliomyélite ! Largement influencé par Kafka, Beckett et Maurice Blanchot que je ne cessais de lire, mon roman ne valait sans doute pas grand-chose, mais il plut suffisamment à Michel Beaulieu pour qu'il m'annonçât vouloir le publier. J'allai le rencontrer à son appartement de la rue Maplewood, non loin de celui du directeur littéraire de Fides où j'avais laissé mes par-dessus. Quand je suis entré chez Beaulieu, j'avais surtout peur qu'il ne me demande à son tour si j'étais homosexuel car j'en étais venu à penser que tous les éditeurs littéraires devaient l'être. Je me retrouvai plutôt devant une montagne de poils, Michel Beaulieu portant alors les cheveux longs et une barbe à la Karl Marx. La belle jeune femme à moitié nue qui prenait ses aises dans l'appartement me rassura tout à fait : Beaulieu était du bon bord des choses, en plus d'éditer des livres comme je les aimais, irréprochables dans leur typographie et leur mise en pages tout en étant d'une grande sobriété quant aux maquettes de couverture. C'étaient des œuvres qui ressemblaient à la poésie que Beaulieu publiait, empreintes de sensualité, tout en rondeurs comme les femmes peintes par Renoir.

Je sortis de chez Beaulieu avec mon premier contrat d'édition dûment signé et mon manuscrit annoté, que j'allais mettre un mois à récrire parce que, sachant qu'il deviendrait bientôt un livre, je le trouvais d'une rare niaiserie, beaucoup plus inspiré par certains mots faciles de Réjean Ducharme que par l'ironie acerbe de Beckett et l'esprit de dérision de Kafka. Je besognai toutefois dans une surexcitation fort agréable, car les bonnes nouvelles, tout comme les mauvaises, n'arrivent jamais seules, une première étant suivie de près par une autre, encore plus inattendue, tel ce télégramme qui me parvint de Paris alors que je mettais le point final à la réécriture de *Mémoires d'outre-tonneau*. Plusieurs mois plus tôt, j'avais écrit un essai sur Victor Hugo et l'avais soumis au prix littéraire Hachette-Larousse, doté de rien de moins qu'une bourse assurant au lauréat un séjour de six mois en France. Dans leur télégramme, les éditeurs de Hachette et de Larousse m'annonçaient que j'avais gagné le concours et qu'on m'attendait à Paris pour célébrer la chose. Moi le fils rebelle d'une nombreuse famille émigrée des hauteurs de Saint-Jean-de-Dieu dans le Morial-Mort du mauvais rêve, aussi pauvre que Job avait pu l'être sur son tas de fumier, j'allais prendre l'avion pour la première fois de ma vie et serais invité à dîner chez Drouant avec plusieurs des membres de l'académie Goncourt, ceux-là mêmes qui avaient lu mon essai sur Hugo et l'avaient aimé assez pour me faire boursier !

Je quittai Montréal pour Paris le 2 septembre 1967, le soir même de mon vingt-deuxième anniversaire de naissance, ma nombreuse famille m'accompagnant à l'aéroport, sauf mon père qui resta à la maison et qui me regarda partir de la rue Monselet malgré l'insistance que tous avaient mise à essayer de le convaincre de m'accompagner à Dorval. En me donnant la main en guise d'adieu, mon père, pour expliquer son refus, m'avait dit ces mots à jamais mémorables :

« Quand ça tombe, c'est de haut que les avions le font. Excuse-moi mais je n'ai pas envie pantoute de voir ça de mon vivant ! »

Deux

À Paris, j'habite dans une chambre grande comme ma main sous les combles de l'Hôtel du Panthéon qui doit sûrement avoir été bâti dans les commencements du monde tellement c'est vétuste, plein d'odeurs de moisissure et grouillant de vermine. Avant l'Arc de Triomphe, je découvre donc ces merveilles que sont les morpions et c'est en me grattant le califourchon que je visiterai la crypte où reposent les restes de Victor Hugo, dans ce Panthéon juste à côté duquel je loge. Les souterrains de l'endroit sont sinistres parce que sombres et humides comme les donjons du Moyen Âge, et c'est divisé en petits compartiments qui ressemblent à des cellules protégées par des portes ajourées permettant d'en voir l'intérieur. Difficile de comprendre pourquoi on a entassé dans des lieux aussi déprimants les restes de ces grands hommes qui, tels Victor Hugo, Voltaire ou Diderot, ont mené des vies flamboyantes et écrit tant de mots aussi lumineux que l'est le soleil.

Ce soleil-là, je le retrouve à la bibliothèque Sainte-Geneviève où je me rends souvent pour lire l'*Ulysse* de James Joyce, assis à cette table que j'imagine avoir été utilisée par celui que je mets au-dessus de tous les écrivains du vingtième siècle tellement son œuvre dépasse par cent coudées celles de ses contemporains et des auteurs venus après lui. Pour m'aider à comprendre *Finnegans Wake*, j'ai recours à Patricia Hoffman, une grande et rousse Américaine qui habite le même hôtel que moi. Je l'ai veillée pendant trois jours et trois nuits, peu de temps après son arrivée à Paris, parce que fiévreuse, il fallait quelqu'un à ses côtés pour l'empêcher de trop dormir et la forcer à prendre ses médicaments. Je parle peu l'anglais et Patricia guère mieux le français. Ce que j'arrive à comprendre de son histoire relève plus du roman que de la vie réelle. Imaginez ! Dans son Oregon natal où elle travaille comme scripte assistante pour une station de télévision de Portland, Patricia fait la rencontre d'un Français de passage et en tombe follement amoureuse. Les deux se fiancent, puis le Français revient à Paris après avoir convaincu Patricia de venir l'y rejoindre, ce qu'elle fait, persuadée de se marier bientôt. Mais l'adresse que lui a donnée son amoureux est fausse, Antonin Artaud (!) n'ayant jamais habité sur le boulevard Raspail. Incapable d'admettre qu'elle a été la victime d'une supercherie, Patricia va se démener pendant six mois à Paris, à la recherche de l'homme qui l'a si bien dupée à Portland. Sa santé allant en se détériorant, les deux frères de Patricia viendront la rescaper de son enfer pour la ramener en Oregon. Je les accompagnerai à l'aéroport et me souviendrai toujours de ma traversée avec eux de la Place du Panthéon, moi tenant la main de Patricia et ses deux frères nous encadrant, ce qui attirait tous les regards sur nous : joueurs de basket-ball, les frères de Patricia mesuraient presque sept pieds, ce qui était suffisant dans le Paris bas sur pattes de 1968 pour que l'œil de tout le monde s'intéresse à eux !

C'est donc avec Patricia, qui faisait de la peinture et pour qui je posais parfois, jambes nues et chapeau de cow-boy sur la tête, que j'appris à connaître Paris, particulièrement ses bars américains où nous nous rendions aux petites heures du matin, avec les paumés de la vie nocturne, travestis en dérive, prostituées sur le retour, marins chaudailles et clochards quêtant un verre de rouge. Le jour, je me retrouvais chez Larousse, à découper dans des journaux et des revues venant du monde entier les articles consacrés aux auteurs de la maison, puis à les répertorier par ordre alphabétique avant de les ranger dans des classeurs alignés dans le long corridor devant la pièce dans laquelle je besognais. C'était décourageant, à cause du grand nombre de classeurs et de la multitude des recensions à colliger. Tous les matins, ça arrivait de la poste dans de grosses caisses qu'il fallait déballer avant de faire le tri des articles et de se mettre à jouer des ciseaux. J'avais l'impression d'être devenu l'un des personnages de *La Colonie pénitentiaire* de Kafka qui se consument dans des gestes aussi répétitifs que dénués de toute signification. Heureusement que deux midis par semaine, l'un des directeurs de Larousse venait me prendre pour m'emmener manger dans l'un ou l'autre des restaurants gastronomiques de Paris avec Jérôme Carcopino, Maurice Genevois et Gérard Bauer, membres de ce jury de l'académie Goncourt qui m'avait lauréatisé pour mon essai sur Victor Hugo. J'appréciais surtout la compagnie de Carcopino, moins pincé que ses collègues, sans doute parce qu'il était d'origine italienne, gros mangeur, grand buveur et raconteur fabuleux des commencements de Rome dont il était un spécialiste. Il m'invita plusieurs fois à y aller, dans le train spécial qui, de Paris à Rome, réunissait de bonnes fourchettes pour un voyage de grande bouffe ininterrompue. À cause de mon estomac que la poliomyélite avait rendu fragile, je ne vis pas Rome et encore moins Florence, royaume des Médicis, les plus grands mécènes que l'Occident ait jamais connus.

Si je préférais les après-midi que je passais chez Larousse aux longues matinées à découper des articles de journaux et de revues, c'est que je me retrouvais au département de la publicité, assistant aux meetings de production avec les concepteurs des annonces, les graphistes et les experts en marketing. J'étais surtout fasciné par les capsules cinématographiques qu'une entreprise de sous-traitance réalisait pour Larousse. Pour avoir déjà été scripteur publicitaire à la radio de CKLM, je trouvais peu dynamiques les annonces de Larousse. Ça faisait vieille France à mort, avec peu d'images et beaucoup de mots. Quand je les revis dans les cinémas du VIe arrondissement où triomphaient les jeunes réalisateurs du monde entier, le côté vieillot des publicités de Larousse me parut encore plus critiquable. J'aurais voulu participer à l'élaboration de nouveaux messages, mais mon stage chez Larousse tirait à sa fin, de sorte que je n'ai pas eu le temps de démontrer mon savoir-faire, acquis auprès de Jean Duceppe, Jean-Pierre Coallier et Roger Lebel.

Je profitai des derniers mois que je passai à Paris pour assouvir ma passion de bibliophile. J'écumai les quais de la Seine, je fis plusieurs fois le grand marché aux puces de la Bastille, je devins un habitué des librairies anciennes ou d'occasion, je fréquentai même quelques collectionneurs. Toucher les premiers ouvrages imprimés par Gutenberg, contempler l'édition princeps de Rabelais ou les sept volumes in-folio des *Basiliques*, consulter le *Traité de typographie* de Sébastien Truchet et lire le *Poème de Fontenoy* de Voltaire, c'était pour moi entrer dans un monde magique que la pauvreté et l'ignorance m'avaient interdit jusqu'alors. N'ayant pas les moyens de contenter vraiment la passion qui m'habitait, je me rabattis presque exclusivement sur Victor Hugo, envoyant par gros colis à Montréal les trois cents ouvrages de lui ou sur lui que j'achetai, notamment la belle édition de *L'Année terrible* publiée par Eugène Hugues, rue du Hasard-Richelieu, un nom que je trouvais fabuleux pour quelqu'un dont la profession était de rendre compte des mots des autres.

Bien que modeste si je la comparais à celle des quelques grands collectionneurs qui m'initiaient à la bibliophilie, ma boulimie pour les vieux livres eut tôt fait de vider la cassette que m'avait value mon prix littéraire. N'étant pas pressé de revenir dans le Morial-Mort de la misère sociale, je redevins journaliste, écrivant des tas d'articles pour *La Presse*, *Maclean's*, *Digest Éclair*, *TV-Hebdo* et *La Semaine illustrée* dont, pendant quelques mois, je fus le correspondant à Paris. J'interviewais n'importe qui et je parlais de n'importe quoi, aussi bien des Petits Frères des pauvres que de Pierre Nadeau, aussi bien du château de Hauteville House habité par Victor Hugo durant son exil dans l'île de Guernesey que de l'éditeur Jean-Jacques Pauvert et du père Bradet forcé à une retraite honteuse parce que sa communauté, éditrice de la revue *Maintenant* dont il était le directeur, trouvait trop progressistes les idées qu'il défendait. Pendant une semaine, je trimais du matin au soir à écrire tous ces papiers que j'envoyais aux éditeurs de Montréal, puis, ma survivance assurée, j'avais trois semaines devant moi pour continuer mon apprentissage de Paris tout en mettant la dernière main à mon roman *La Famille du roman scié*. Rencontré chez le père Bradet, Gérald Robitaille, qui, après avoir été le secrétaire particulier du romancier américain Henry Miller, enseignait l'anglais dans un lycée français, m'encourageait à prendre racine dans le VIe arrondissement. Il détestait le Québec et n'avait que mépris pour sa littérature, sentiments à l'opposé des miens. Si j'aimais Paris et son peuple bigarré, j'étais déjà bien trop québécois pour me renier dans ce qui faisait le fondement de ma nature, fils rebelle d'une nombreuse famille peut-être, mais porteur de trop de mémoire pour que celle-ci, des Trois-Pistoles à Morial-Mort, ne prenne pas toute la place.

À dire vrai, j'étais plus à mon aise à Paris avec les Américains, les Africains et les Français eux-mêmes que parmi mes propres compatriotes. Ou bien ceux-ci rêvaient de devenir parisiens, quitte à singer une culture qui n'était pas vraiment la leur, ou bien ils se considéraient essentiellement comme des Nord-Américains, fiers de parler anglais à Paris et de défendre une technologie impérialiste, pour ne pas dire totalitaire, dont ils blâmaient pourtant l'Europe cherchant alors presque désespérément à se l'approprier. Les oreilles m'en silaient quand je me rendais à la Maison canadienne de Paris, à la Délégation culturelle du Québec, chez le père Bradet qui recevait beaucoup, sauf à l'heure des repas. Malgré l'emphysème pulmonaire dont il souffrait, il nous accompagnait au restaurant, mangeant peu mais buvant autant que nous. Nous avions l'impression de revivre les grands moments de ce qu'on a appelé la Génération perdue alors que Scott Fitzgerald, Gertrude Stein, Ernest Hemingway et James Joyce avaient fait de Paris la capitale des grands écrivains étrangers. Le problème, c'est que nous étions loin d'être des aigles : ce que nous écrivions ne montait pas très haut dans le ciel de la poésie et de la romancerie, personne n'étant prêt à faire le sacrifice des petits plaisirs inconséquents de la vie afin de rendre dans ses grosseurs une œuvre sans compromis. C'était notamment le cas de Francine Léger, la fille de Jules, alors ambassadeur du Canada à Paris. Ce fut la première grande paumée que je rencontrai dans ma vie, portant manteau de vison même dans le plein de l'été, parlant toujours d'écrire mais n'en faisant jamais rien, trop neurasthénique pour seulement se rendre compte de la folie qui l'habitait. Elle me présenta à ses amis, des éditeurs dits érotiques, qui m'offrirent de travailler avec eux parce que les quelques lignes de moi que je leur donnai à lire les persuadèrent aussitôt que j'avais du talent comme pornographe. Je refusai, me souvenant trop de cette période sombre de ma vie alors que, me remettant de la poliomyélite, j'avais besogné sur de petits journaux cochons destinés aux chauffeurs de taxi et d'autobus. Les seins et les sexes nus étant interdits dans les publications québécoises, je dessinais des étoiles sur le bout des tétons et encrais de triangles les pubis, sur des photos importées des États-Unis. Le producteur de ces petits journaux cochons critiquait ma lenteur, lui qui avait trafiqué une perceuse en machine à effacer qu'il passait sur le papier, faisant ainsi disparaître les seins et les pubis d'une main fabuleusement experte !

Un soir, j'en eus assez de Francine Léger, de ses amis éditeurs et de cette bande de Québécois dont la volonté s'était perdue quelque part au-dessus de l'Atlantique. Je pris congé d'eux au milieu du repas et m'en allai marcher sur les Champs-Élysées, décidé à entreprendre dès le lendemain un tour complet de la France. Je ne voulais pas revenir à Montréal sans rien connaître des provinces françaises, surtout celles de Normandie, de Bretagne et d'Anjou dont ma famille était originaire. En montant vers l'Arc de Triomphe, je pensais aux sujets de reportages que je devrais proposer aux éditeurs québécois si je voulais vraiment traverser la France de Dieppe à Marseille. Comme Proust dans *À la recherche du temps perdu*, j'étais attiré par des noms de lieux singuliers, que je tenais à visiter, ne serait-ce que pour la poésie qui semblait leur avoir donné le jour : château de la Malmaison, Aubeterre, La Tremblade,

Entraigue-sur-Sorges, Oppède-le-Vieux, Champlitte, Villedieu-les-Poêles, Massegros, Mandelieu-la-Napoule, Chevagnes et Replonges. De tels noms devaient avoir une histoire fabuleuse et le jeune romancier que j'étais avait besoin de s'en nourrir pour sortir de tout ce qu'il restait d'indéfini en lui.

Je regardai longtemps cet Arc de Triomphe sous lequel le corps de Victor Hugo passa toute une nuit, deux millions de Français se massant autour pour rendre un dernier hommage à celui qui avait écrit des milliers de pages sur le peuple de Paris. Je croyais entendre *Les Djinns*, et *Paris tremble, ô douleur ! ô misère !* et Jean Valjean dans la cour intérieure du Petit-Picpus, et la canne de l'affreux Javert martelant le pavé, et les roues d'une diligence emportant vers Bruxelles un Victor Hugo déguisé en femme pour mieux échapper aux sbires de Napoléon le Petit se faisant lui-même empereur après un coup d'État sanglant et un référendum truqué !

Face à l'Arc de Triomphe, la question que je me posais était la suivante : Un Victor Hugo était-il possible dans une aussi petite province que la mienne, qui aspirait à devenir un pays mais qui ne voulait pas en payer le prix, trop peureux dans ses politiciens et son peuple pour choisir la liberté et ce qu'elle a d'exigeant ? Ça me paraissait être un pari impossible à tenir, sauf que ma passion était telle que, ce soir-là, sur les Champs-Élysées, je me promis de tout tenter afin d'y arriver. Si à vingt ans Victor Hugo avait pu écrire : « Je serai le Chateaubriand de mon siècle ou je ne serai rien », pourquoi n'aurais-je pas, moi, comme devise : « Je serai le Victor Hugo de mon pays ou je ne serai rien du tout » ? Malgré sa naïveté et son caractère prétentieux, ce fut cette pensée qui m'orienta définitivement dans le monde de mes mots et dans celui des mots des autres. En tournant le dos à l'Arc de Triomphe, je n'avais plus que le désir de me mettre enfin à écrire pour vrai, dans le bruit et la fureur du monde que je portais en moi. Je voulais être hénaurme comme Rabelais, fou comme Cervantès, dément comme Artaud, illuminé comme Joyce et désespéré comme Jack Kérouac ! Je serais Icare, mais muni d'ailes qui ne fondraient pas au soleil !

Je n'eus guère le temps de m'éloigner de l'Arc de Triomphe, plein du rêve qui m'habitait, que j'étais déjà rejoint par la réalité – cette main se posant sur mon épaule, celle de mon étrange libraire de la rue Saint-Laurent, costumé à la hussarde, les ganses et les boutons dorés de son vestimentaire comme phosphorescents dans la nuit ! Malgré mon entraînement pour la fuite élocutoire du poète, selon le mot d'Hubert Aquin, je ne pus me défaire du libraire, trop heureux qu'il était de rencontrer un compatriote sur les Champs-Élysées. Il me prit par le bras et m'entraîna au restaurant, où il appela « chérie » la serveuse et me donna généreusement du « très cher ami » d'une voix onctueuse, le bout de sa langue pointant entre ses dents ainsi que c'est l'usage chez les reptiles. Encore une fois, je fus invité à devenir libraire sous l'aura tutélaire du divin marquis de Sade :

« Ce n'est pas un sot métier pour quelqu'un qui veut passer sa vie à écrire. Moi, je commence à me faire vieux et je n'aurais pas objection à céder éventuellement mon entreprise à un jeune homme que, par ailleurs, je pourrais aider de bien des façons. Une amitié réciproque me serait déjà une première avance tout à fait acceptable. Que vous en semble-t-il, très cher ami ? »

Si j'aimais les livres, ce n'était pas pour les vendre mais pour les lire. Quant à l'amitié réciproque, je me sentais peu doué pour y répondre, la vieille ganache que j'avais devant moi n'ayant rien pour me faire pencher, ne serait-ce qu'une fois, du bord de la sexualité homosexuelle. Quand mon étrange libraire me demanda quel hôtel j'habitais et s'il y avait une douche dans ma chambre, je compris enfin dans quel bateau il voulait me voir embarquer et, prétextant une subite envie de pisser, je me levai de table et décabanai. J'allai chercher mes bagages à l'Hôtel du Panthéon et les portai rue Gît-le-cœur, dans le quartier Saint-André-des-Arts, là même où Kérouac, Ginsberg et les autres beatniks trouvaient à s'héberger quand ils faisaient satori à Paris. Je partais le lendemain à la découverte des provinces françaises, mais le propriétaire du Gît-le-cœur accepta que j'y laisse le surplus de mes guenilles, ce que m'avait refusé celui du Panthéon.

C'est en train que je traversai toute la France, retrouvant dans le nord les descriptions trop travaillées des romans de Gustave Flaubert, si semblables aux arbres bas sur leurs racines et leurs ramages enchevêtrés comme des labyrinthes. Dans le sud, la chaude sensualité de Giono triomphait, et je me sentais l'égal du Bobi de *Que ma joie demeure*, ce grand et beau jeune homme solitaire qui faisait mouiller les filles parce que greyé du corps glorieux de tous les désirs. Odeurs fortes de la terre, délice des olives noires, de l'huile pressée à froid et des tomates trempées dedans !

Je me souviendrai toujours des vives couleurs de la nourriture telle que la préparaient les gens du Midi en hommage aux dieux très bons de la jouissance. J'y prendrai aussi le goût des confitures onctueuses, cuites dans des sirops ambrés comme une journée d'ensoleillement.

Remontant de Grenoble vers Paris, je m'arrêtai à Saint-Firmin-les-Bains pour visiter la Maison de la culture qu'on venait tout juste d'y inaugurer. Je dus à ce hasard de faire la rencontre la plus excitante de tout mon séjour en France, l'éditeur Jean-Jacques Pauvert, qui donnait une conférence dans un auditorium à peu près désert. Depuis que j'avais lu Raymond Roussel dont il avait publié les œuvres complètes, sans oublier celles, énormes, de Victor Hugo, je le mettais au-dessus de tous les autres, même de José Corti et de Robert Morel pour qui mon admiration était sans bornes. Face aux jardins du Luxembourg, Corti tenait une boutique aussi poussiéreuse que semblaient l'être les vêtements qu'il portait. J'avais découvert l'endroit grâce aux longues promenades que je faisais dans Paris et y avais acheté *L'Eau et les rêves* de Gaston Bachelard, de même que le décapant *La Littérature à l'estomac* de Julien Gracq. Les livres que publiait Corti étaient de superbes objets pensés et fabriqués par un formidable artisan : sobriété classique des couvertures, typographie et mise en forme soignées, belles pages aérant des textes écrits sans compromis. Robert

Morel avait aussi cette passion-là d'éditer. Les ouvrages de sa collection « Célébrations » étaient de toute beauté, et bien que l'un de mes chiens l'ait à moitié dévoré, je garde précieusement le petit livre sur l'érable que Françoise Gaudet-Smet y fit publier en 1970. Comme Pauvert et Corti, Morel était un loup contestataire dans le grand jeu de quilles de l'édition française, pour ne pas dire parisienne puisque le monde du livre s'y confinait, aussi centralisé que l'administration publique. Pour protester contre cet état de fait, Morel s'était installé en province et avait revendiqué pour les éditeurs comme pour les auteurs le droit d'être régionalistes. Il fut le premier à le faire, ce qui explique sans doute qu'après quelques années il fit faillite sans qu'aucun de ses confrères parisiens ne levât le petit doigt pour seulement essayer de lui venir en aide. C'est à Robert Morel que je penserai quand je déciderai de faire acte d'édition à partir des Trois-Pistoles, dans mon arrière-pays natal. J'y expérimenterai comme lui l'indifférence de la métropole envers ses provinces et combien il est difficile de vouloir être culturel dans des régions qui ont été privées de culture si longtemps qu'elles n'arrivent plus à s'en faire la moindre représentation.

Après sa conférence à la Maison de la culture de Saint-Firmin-les-Bains, Jean-Jacques Pauvert m'accorda généreusement une longue entrevue dont je publiai quelques bribes dans *La Presse*. J'aurais tout voulu savoir de celui que je considérais comme le plus grand des éditeurs français, comment il choisissait les manuscrits qu'il publiait, comment il concevait le toilettage, la présentation typographique, les flamboyantes couvertures de chacune de ses collections. Quel casse-cou était Jean-Jacques Pauvert ! Et quel enragement dans son parti pris pour la liberté, qui lui valait régulièrement d'être poursuivi par la prétendue justice française pour diffamation et obscénité comme si on en avait encore été au dix-neuvième siècle, dans cette hypocrite société faisant notamment procès à Flaubert à cause de la trop grande liberté sexuelle de sa *Madame Bovary* ! J'avoue que si Jean-Jacques Pauvert m'avait proposé de travailler pour lui, ne serait-ce qu'en tant que messager, j'aurais accepté tellement me fascinait le monde qu'il défendait, souvent dans le mépris envieux de ses confrères éditeurs. Quand je rencontrerai Jérôme Lindon des Éditions de Minuit et Henri Flammarion, je serai ainsi pareillement subjugué : c'étaient de grands artistes dans un monde dominé par un capitalisme aussi sauvage que désâmé.

Je quittai Paris à la toute veille des événements de mai, dans l'effervescence politique qui secouait la vieille France du général de Gaulle, dans une surréalité de pensée et d'action si semblables aux images que donnaient à voir les films d'Alain Resnais et de Jean-Luc Godard, que m'a toujours étonné le silence des historiens et des commentateurs sur l'importance de ces deux cinéastes par rapport à l'agitation des étudiants de Paris.

Avant de prendre l'avion qui me ramènerait au Québec, je fis une dernière et longue promenade dans Paris, de la place des Vosges au cimetière du Père-Lachaise, de l'Arc de Triomphe au Panthéon, de la librairie Voltaire à celle de la Huchette, pour me rappeler cet artiste en jeune homme que j'étais à mon arrivée en France et tout ce qui avait changé depuis en lui. Si je ne savais toujours pas comment je gagnerais ma vie une fois que je serais de retour dans le petit pays de Morial-Mort, je ne doutais plus dans quel univers ça se passerait : ce serait celui de mes mots et celui des mots des autres puisque ma passion pour les deux était totalisante et indissociable des uns et des autres. Quel avenir, dieux de tous les ciels !

Trois

La rue Monselet n'avait guère changé pendant mon absence : Jos Allaire tenait toujours épicerie à côté du logement qu'habitait ma parentèle et, dessous, le vieux bonhomme Lagacé astiquait encore les petits poêles de fonte qu'il n'arrivait pas à vendre. Il avait scindé l'espace de son commerce en deux et en louait la plus belle partie à un pâtissier italien, signe que même la rue Monselet était en train de devenir cosmopolite comme ce qui se passait au sud du boulevard Pie-IX où, par îlots homogènes, se rassemblaient les Grecs, les Polonais et les Haïtiens, deux ou trois familles se partageant une cuisine, un salon et trois chambres à coucher. La petite misère n'était plus le lot des seuls expatriés de la Gaspésie, de la Matapédia et du Bas-du-Fleuve, elle touchait maintenant les orphelins de Papa Doc, de Gomulka et de Papadhópoulos, ces dictateurs qui donneront naissance, en plein siècle dit démocratique, à des tyrans sanguinaires comme Idi Amin Dada, le général Pinochet et Ceauşescu. Le monde dans toute son affreuseté et toute sa déliquescence, que la rue Monselet ignorait encore bien qu'elle commençât à être envahie par tous les damnés de la terre ainsi que l'a si bien écrit Frantz Fanon.

Pour avoir goûté à la liberté de vivre comme je l'entendais, même si c'était dans le Paris des minables chambres de bonniche, je n'étais pas très chaud à l'idée de me retrouver de nouveau plongé dans la promiscuité, dans ce quasi-dortoir à couchettes de fer trop longtemps partagé avec quatre de mes frères. Je voulais louer un petit appartement comme ceux que j'avais pu m'offrir avant mon départ pour Paris : je n'y restais jamais plus d'un mois parce que je manquais d'argent et j'y travaillais sans répit, comme je savais que Kérouac faisait lorsqu'il était en rage d'écriture. Le mois écoulé, je rentrais à la maison avec juste ce qu'il fallait pour payer pension à mes parents, un nouveau manuscrit parmi les guenilles que je transportais dans ma valise. Mais l'hiver ayant été dur rue Monselet, certains de mes frères ayant perdu leur emploi et mes sœurs, sauf l'aînée, étant aux études, ma mère me persuada de rester avec la famille afin de l'aider à se remplumer. J'acceptai bien que j'ignorais encore comment j'allais gagner ma vie.

Aussitôt rentré de Paris, je téléphonai à Michel Beaulieu parce que m'inquiétait le fait que *Mémoires d'outre-tonneau* n'était toujours pas publié après plus d'un an de promesses non tenues, que *La Famille du roman scié* était terminé et que ça serait bientôt le cas de *Pour saluer Victor Hugo* et de *Jos Connaissant*. La lenteur de Beaulieu m'exaspérait. Quand je lui dis que je songeais à présenter mes manuscrits à un autre éditeur, il me demanda de passer le voir rue Saint-Denis où il tenait maintenant librairie tout en s'occupant de sa maison d'édition. Un joyeux bordel c'était, sur trois étages en plus ! Le sous-sol était plein de caisses de livres mal rangées. Sur la longue table bancale qui en occupait le milieu et dont Beaulieu se servait pour la préparation de ses envois de presse et d'office, les grosses bouteilles de bière prenaient plus de place que les livres eux-mêmes. Au rez-de-chaussée, les ouvrages étaient rares sur les tablettes et leurs auteurs m'étaient presque tous inconnus : Georges Bataille, Michel Foucault, André Freynaud, Guillevic et Gustav Meyrink. Je me souviens particulièrement d'eux parce que c'est grâce à l'enthousiasme de Beaulieu pour ces œuvres que je me mettrai à les lire, y trouvant plus de substantifique moelle que dans mes vieux Pagnol, Cendrars et Kessel. À l'étage, Beaulieu avait ses appartements. Ça sentait l'encens et le pot, et, sur la porte de sa chambre, le mot « Baisodrome », écrit en grosses lettres noires sur fond doré, prévenait le visiteur que la grande passion du poète ne se satisfaisait pas seulement que dans le caressement des muses.

Mon éditeur m'ayant rassuré quant à la publication prochaine de mon premier roman, j'allai en sa compagnie et celle de Louis Geoffroy célébrer la chose dans une taverne de la rue Saint-Hubert. Lorsque j'en ressortis, un brin chaudaille, mon excitation s'était calmée : j'étais fauché comme les blés de mon arrière-pays natal et j'avais de toute urgence besoin de travailler. Je pensai à la sympathie que m'avait toujours portée Roger Chabot, directeur de *TV-Hebdo*, et je me rendis le voir dans le parc industriel de Ville d'Anjou où Berthold Brisebois, magnat de la presse jaune, régnait, tel un mafioso sicilien, sur son petit empire d'éditeur et de distributeur. *La Semaine illustrée*, dont j'avais été le correspondant à Paris, y avait aussi ses bureaux. Je me retrouvai donc à la cafétéria des Distributions Éclair et j'étais en train de négocier l'écriture d'une chronique hebdomadaire dans *TV-Hebdo* et mon engagement en tant que reporter pigiste à *La Semaine illustrée* lorsque Berthold Brisebois vint nous rejoindre. C'était un homme bâti comme un taureau et dont la voix était gutturale comme celle qu'aura Marlon Brando dans *Le Parrain* de Coppola. On racontait que ses secrétaires lui servaient aussi de maîtresses et que c'était pareil pour la chauffeuse de sa rutilante Continental Mark IV. Le photographe de *La Semaine illustrée*, dont le hobby était la pornographie, prétendait aussi que, par un miroir spécial installé dans son bureau, Berthold Brisebois s'amusait à zieuter ses employées quand elles allaient aux toilettes. Je ne vis jamais ledit miroir, mais la simple idée qu'il pût exister vraiment avait de quoi déclencher l'imagination du romancier que j'étais.

Berthold Brisebois ne resta pas longtemps à la cafétéria : il n'avait pas beaucoup d'estime pour la direction de *La Semaine illustrée*, qui faisait trop souvent à son goût profession de foi indépendantiste alors que lui était foncièrement fédéraliste. En se levant de table, il sembla me voir pour la première fois et il me demanda de le suivre jusqu'à son bureau. Quand nous y fûmes, il sortit d'une étagère la collection du *Digest Éclair* dont il était l'éditeur, l'installa sur cette table de poker autour de laquelle il jouait aux cartes avec son ami et concurrent Pierre

Péladeau, puis, sans ambages, me proposa de devenir le directeur de cette revue conçue sur le modèle du *Reader's Digest*. J'y collaborais depuis deux ans, y écrivant entre autres des condensés semblables à ceux qui avaient fait le succès de la publication américaine. Les miens étaient résolument québécois : Félix Leclerc, les Patriotes de 1837, la vie d'Olivar Asselin et celle d'Henri Bourassa. Berthold Brisebois n'avait pas dû les lire pour m'offrir ainsi de prendre en main le *Digest Éclair*. Pour la première fois de ma vie, j'aurais un job bien payé et une voiture neuve à ma disposition. Ça tombait bien : la vieille Peugeot, achetée trente dollars à un voisin, ne fonctionnait plus que sur l'étrangleur depuis que j'avais entrepris un voyage en Gaspésie terminé abruptement à Matane après avoir mis trente-trois pintes d'huile dans le moteur !

Diriger le *Digest Éclair* signifiait que je devais tout faire : sélectionner les articles, que je piquais au *Nouvel Observateur*, à *L'Express* et au *Figaro littéraire* ; choisir les pensées et les blagues qui rempliraient les trous de la mise en pages, faire la collecte d'illustrations pour lesquelles il ne fallait pas payer de droits, réviser les textes, en faire le montage et aller porter le tout chez un imprimeur de Joliette. Le métier me passionnait mais pas le *Digest Éclair* lui-même dont la formule, copiée du *Reader's Digest*, n'intéressait guère le lecteur québécois. Je persuadai Berthold Brisebois d'en changer le format, le contenu et le titre. Ça devint donc *Dimensions*, un magazine auquel se mirent à collaborer Jean-Claude Germain, Michel Garneau, Yves Thériault, Claude Jasmin et plusieurs jeunes écrivains, dont

André Major et Pierre Turgeon. On y présentait des interviews avec Michel Chartrand et Pierre Bourgault, on y parlait de littérature, de musique et de théâtre. Ça ne se vendait guère plus que le *Digest Éclair* et Berthold Brisebois n'attendait que le moment pour mettre fin à une aventure qui ne lui rapportait rien. Je lui en donnai l'occasion en publiant dans le numéro d'avril 1969 un pamphlet d'Yves Michaud sur la concentration de la presse au Québec. Michaud y attaquait violemment Power Corporation et réclamait l'intervention de l'État, non seulement dans le domaine des journaux, mais aussi en ce qui concernait les mouvements de capitaux, les fusions de sociétés et les transports d'actions « qui ont de redoutables effets sur l'ensemble de la vie politique et économique des Québécois ». Mis en kiosques le jeudi, *Dimensions* en fut retiré dès le lendemain. Ma décision de publier Michaud tombait mal, Berthold Brisebois étant alors lui-même en pourparlers avec Power Corporation qui voulait lui acheter son entreprise !

Berthold Brisebois exigeant de lire avant leur parution tous les textes qu'on me soumettait pour *Dimensions*, je préférai lui donner ma démission. Je venais d'acheter un petit bungalow à Terrebonne et ce qu'il fallait pour le meubler, car j'allais me marier à la mi-avril, et un long voyage de noces était par la suite prévu au pays de Kérouac, Grace Metallius et Melville, sur qui je voulais écrire. Adieu New York, Boston, New Bedford, Nantucket, Salem, Lowell et Arrow Head ! Je n'avais même plus de quoi me payer un billet de train pour deux jusqu'à la frontière américaine, et Michel Beaulieu, qui m'avait promis une petite avance sur mes droits d'auteur à venir, anticipait plutôt la faillite de sa maison d'édition. *Mémoires d'outre-tonneau* y avait enfin été publié, après plusieurs lettres de mise en demeure, et ça avait été un vrai désastre : le petit imprimeur de Berthier avait égaré les épreuves révisées et, plutôt que d'en demander de nouvelles, il avait tiré quelques centaines d'exemplaires de mon ouvrage. C'était bourré de fautes ! Sur la quatrième de couverture, il y en avait une à chaque ligne, de quoi désespérer mon ami Eugénio Pilote qui avait tout fait comme correcteur afin que mon petit roman ait l'air de se tenir debout tout seul.

Quand Michel Beaulieu m'apprit qu'il y aurait lancement de mon livre à la Bibliothèque nationale, en même temps que *L'écho bouge beau* de Nicole Brossard, ce n'est pas l'enthousiasme qui me fit délirer : j'avais un peu honte de la créature difforme à laquelle mon éditeur venait de donner le jour. Si j'avais su ce qui m'attendait ce jour-là, je ne me serais jamais présenté la fraise à la Bibliothèque nationale.

Avant le lancement, Michel Beaulieu m'avait demandé de passer le prendre rue Saint-Denis parce qu'il n'avait pas de voiture et qu'il comptait sur moi pour apporter à la Bibliothèque nationale les quelques caisses de livres nécessaires à la célébration. À l'heure convenue, j'arrivai donc chez lui. Les huissiers y étaient venus avant moi et avaient vidé la librairie des ouvrages qui s'y trouvaient. Alarmé, je montai à l'étage : tout était sens dessus dessous, avec plein de caisses à moitié remplies partout dans l'appartement. Je dégringolai les longs escaliers jusqu'au sous-sol et y découvris mon éditeur en train de boire une grosse bière et de fumer un joint tout en préparant les services de presse de mon ouvrage et de celui de Nicole Brossard. Mon éditeur avait oublié qu'il y avait lancement ce jour-là ! Tandis qu'il entrait sous la douche, j'allai récupérer à la buanderie le t-shirt et le pantalon oubliés là eux aussi. Et quel pantalon, dieux de tous les ciels ! C'était d'un phosphorescent rosé saumon, de quoi rendre jalouse la plus colorée des truites mouchetées du lac Témiscouata !

C'est ainsi greyé et empestant le patchouli que mon éditeur m'entraîna vers la Bibliothèque nationale. Quand nous arrivâmes devant, il se gifla le front de sa main ouverte et me dit qu'il fallait aller acheter du vin et des verres parce qu'à cela non plus il n'avait pas pensé ! Bien entendu, je dus payer le vin et les verres, les banques ayant déjà fermé leurs portes et Beaulieu n'ayant pas un sou sur lui. Quand j'entrai enfin dans la salle de la Bibliothèque nationale où le lancement avait lieu, deux caisses de livres dans mes bras, je n'étais plus aussi certain de vouloir devenir écrivain, surtout que Berthold Brisebois, flanqué de ses deux maîtresses, s'y trouvait déjà et faisait plutôt dépareillé parmi toute cette faune à cheveux longs qui écoutait du Mick Jagger tout en fumant du pot. J'avais invité au lancement tout le monde de ma famille, mais je fus content de voir que personne ne s'était déplacé pour la circonstance. Tout le temps que dura le party, je pris le moins de place possible et évitai de me retrouver dans l'entourage de Berthold Brisebois, de ses deux maîtresses et d'Ernest Pallascio-Morin avec qui le roi de la presse jaune avait fait les quatre cents coups du temps de leur jeunesse. Quand l'une des maîtresses vint me voir pour m'informer que M. Brisebois n'entendait pas rester plus longtemps à mon lancement, je fus bien obligé d'aller le saluer. Il mit sa grosse main de mafioso sicilien sur mon poignet, se pencha vers moi et me dit d'une voix plus gutturale encore qu'à son ordinaire :

« Ne m'invite plus jamais aux lancements de tes livres. C'est absolument abominable, crisse ! »

Quelques semaines après ce mémorable lancement, les Éditions de l'Estérel fermèrent leurs portes. N'ayant pris ce soir-là que cinq des exemplaires d'auteur auxquels j'avais droit, je fus obligé, pour m'en procurer d'autres, de les acheter dans les quelques librairies de Montréal qui avaient reçu, avant la faillite de Beaulieu, son service d'office. Tout un baptême pour un jeune écrivain qui allait se marier et qui se retrouvait chômeur ! Heureusement que Berthold Brisebois n'était pas qu'un chevalier d'industrie impitoyable. C'était aussi un homme qui mettait la famille au-dessus de tout et qui m'aimait comme l'un de ses fils rebelles. Il m'invita à souper dans son chalet des Laurentides, m'envoya chercher chez moi dans sa rutilante Continental Mark IV, puis, entre la poire et le fromage que nous prîmes devant un feu de foyer, il me fit écouter les chansons cochonnes de Colette Renard avant de m'avouer que son âme était celle d'un poète que la pauvreté avait forcé à devenir entrepreneur. Il ajouta :

« Passe au bureau demain. Je ne voudrais pas que tes principes gâchent complètement ton voyage de noces. »

J'eus donc droit à un chèque inespéré et à une voiture qui me permirent de faire le tour de la Nouvelle-Angleterre et d'y acheter tous ces ouvrages dont j'allais me servir quand j'écrirais sur Kérouac et sur Melville. Sans la générosité de Berthold Brisebois, je n'aurais peut-être jamais marché dans la rue Beaulieu de Lowell, là où Ti-Pousse avait vu le jour, et, dans la maison de Melville à Pittsfield, je ne me serais sans doute pas assis à la table de pommier du plus formidable chasseur de baleines que le monde ait connu. Je n'aurais probablement pas fait de livres sur eux non plus, par méconnaissance de l'espace qui les avait fait devenir écrivains. Dans les commencements d'un écrivain, les choses sont d'une grande fragilité et c'est souvent le hasard qui les détermine, ainsi que j'en aurai la preuve quand, de retour des États-Unis, je recevrai cette lettre de Jacques Hébert m'annonçant qu'il voulait publier *La Famille du roman scié*. Je lui avais soumis le manuscrit avant même la faillite de Michel Beaulieu dont les promesses jamais tenues avaient fini par avoir raison de ma patience. Je n'entendais pas être un écrivain du dimanche comme il y en avait tant au Québec dans les années soixante, qui publiaient un petit livre tous les quatre ou cinq ans et s'en contentaient. Le monde qui me portait, venu de la prodigieuse mémoire familiale dont mes parents m'avaient greyé, était autrement plus exigeant : dans ce peu de temps que représente toute vie, je voulais pouvoir dire, mille fois et une fois si nécessaire, cette grande fâcherie contre le monde et contre moi-même qui m'habitait. L'urgence me déterminait parce que je n'étais pas encore absolument remis de ma poliomyélite, que j'avais peur de manquer d'énergie et de me retrouver à quarante ans en débriscaille dans un fauteuil roulant. Toute attente me terrorisait, car elle était synonyme de cette lenteur que j'avais connue à l'hôpital Pasteur quand la maladie m'avait forcé à rester immobile et sans rien faire pendant deux longs mois, couché sur un panneau de bois, des sacs de sable sur les jambes. Je m'étais relevé de là avec un besoin terrible de mettre de la vitesse dans tout ce qui m'importait, aussi bien quand j'écrivais que lorsque je conduisais ma machine. Mon héros était ce Dean Moriarty de *Sur la route*, qui ne cessait jamais de se défoncer parce que sachant déjà que le temps aurait bientôt raison de son corps et de son esprit. Plus vite ! Toujours plus vite ! On devrait pouvoir aller toujours plus vite ! comme le dira le Xavier Galarneau de *L'Héritage*, obsédé par la lenteur des choses, des bêtes et des hommes.

À ma sortie de l'hôpital Pasteur, je dus rester un an à ne rien faire. Pour passer le temps, je lisais en moyenne deux livres par jour. J'oubliais ainsi mon bras et ma main gauche immobilisés dans cette attelle que ma mère me faisait tous les matins et qui m'empêchait véritablement d'écrire. Après dix minutes, j'avais de la misère à tenir mon stylo tellement mes doigts étaient gourds et mon épaule sans résistance. C'était déprimant et d'autant plus que je manquais de moyens pour assouvir ma passion de lecture. Je me mis donc à écrire des lettres que j'adressais aux éditeurs, leur parlant de ma maladie et de ma pauvreté et leur demandant de m'envoyer des choses à lire. Je reçus deux réponses, la première de l'orientaliste Jean Herbert, directeur d'une collection sur l'Asie chez Albin Michel, qui me fit parvenir deux caisses d'ouvrages sur les Indes : il y avait la *Bhagavad-Gîtâ*, Aurobindo, *La Mère*, Vivekananda, les *Lois de Manu* et les romans de Bâna. J'y puiserai l'engouement que j'ai depuis pour le monde symbolique, dans cet au-delà de l'épiderme dont parlait Paul Valéry.

La seconde réponse me vint de Jacques Hébert. N'étant pas dotés d'une très grande mémoire, nous avons presque oublié aujourd'hui qu'il fut le héros de nos jeunes années. Il avait voyagé partout dans le monde, était devenu journaliste et pamphlétaire, voulant ainsi s'égaler à Arthur Buies et à Jules Fournier, deux intellectuels rebelles qui avaient mis la liberté au-dessus de tout et n'avaient jamais trahi leur engagement. Jacques Hébert avait fondé le journal *Vrai*, lutté contre la presse jaune, défendu les droits civiques et pourfendu Duplessis dans des textes vitrioliques contre celui qui avait mis le favoritisme et la corruption au rang des grandes vertus politiques. Dans le désert de la fin des années cinquante, Jacques Hébert était pour nous le symbole de toutes les audaces et de toutes les libertés. Nous partagions pour ainsi dire instinctivement son enthousiasme pour Saint-Exupéry et pour Louis-Ferdinand Céline dont la lecture nous apprit ce qu'est vraiment le style quand il se considère comme une souveraineté en soi. Et Jacques Hébert était aussi l'un des fondateurs de *Cité libre*, qui était interdit de lecture à l'école Pie-IX que je fréquentais, parce que jugé anticlérical et radical dans un monde pour lequel le goupillon et les matraques de la police provinciale représentaient le summum de la loi et de l'ordre.

On peut donc imaginer la joie que j'ai eue ce jour-là que Jacques Hébert répondit à ma lettre par un mot d'encouragement et la collection complète de *Cité libre* ! Pour le convalescent que j'étais, confiné à un inconfortable fauteuil, c'était inespéré, pour ne pas dire thérapeutique. Je découvris un pays réel que mes insistantes lectures de Beckett et de Kafka avaient occulté. Tout n'était pas à désespérer comme c'était le cas pour mon corps. Si de grands changements dans les sociétés d'ailleurs étaient possibles, pourquoi n'en irait-il pas bientôt de même chez nous ? Depuis la grève d'Asbestos et celle de Radio-Canada, le syndicalisme se montrait agissant partout, de nouveaux partis politiques naissaient, qui faisaient la promotion de l'indépendance du Québec, de jeunes fonctionnaires rêvaient de créer un État-nation qui nous rendrait enfin maîtres de notre destinée. C'est grâce à *Cité libre* que je me mis à lire Pierre Vadeboncœur, Fernand Dumont et Guy Rocher. Ils me rendirent aimable le pays à venir, ils me réconcilièrent avec ma contrée d'enfance parce qu'ils surent m'expliquer pourquoi les miens avaient dû naître dans la pauvreté et y rester toute leur vie, faute d'avoir été formés à penser, à revendiquer et à créer, les clercs s'en chargeant pour eux au nom d'un nationalisme religieux qui nous faisait plus juifs que le peuple juif lui-même, c'est-à-dire xénophobes à mort.

Lorsque Michel Beaulieu s'était mis à retarder la parution de mon premier roman, j'avais envoyé à Jacques Hébert une copie de mon manuscrit. Il m'avait téléphoné quelques semaines plus tard pour m'apprendre qu'il voulait le publier. J'avais décidé de rester fidèle à l'Estérel tout simplement parce que j'aimais Beaulieu et que ses difficultés financières me rejoignaient dans mes propres problèmes d'argent. Une fois les portes de sa maison fermées, mon engagement envers lui ne tenait plus et j'avais envoyé à Jacques Hébert le manuscrit de *La Famille du roman scié*, un petit clin d'œil à l'hénaurmité de Réjean Ducharme et au génie langagier dont ses premiers romans étaient pleins. C'était quelque temps avant que je parte en voyage de noces aux États-Unis. Quand j'en revins, un mot de Jacques Hébert m'attendait dans ma boîte aux lettres. Il acceptait d'éditer mon roman, mais je devais lui faire réponse rapidement. Pour l'inauguration des nouveaux bureaux des Éditions du Jour, qui laissaient le Carré Saint-Louis pour le bas de la côte à Baron de la rue Saint-Denis, Jacques Hébert prévoyait une semaine de festivités et le lancement d'un roman par jour. Le temps pressait, il ne restait même pas un mois avant la grande mouvance.

Je reçus les épreuves de mon roman quelques jours plus tard, ne pris que vingt-quatre heures pour les corriger et allai porter les galées rue Saint-Denis. J'avais hâte de rencontrer mon nouvel éditeur. J'arrivai aux éditions sur l'heure du midi alors que Jacques Hébert, dans l'arrière-boutique, prenait l'apéro et mangeait des graines de tournesol en compagnie de J. Z. Léon Patenaude, le gros et coloré président du Conseil supérieur du livre. Comme le cardinal Léger, on le surnommait Kid Kodak à cause de la manie qu'il avait de se faire photographier avec tous ceux qui avaient un minimum de notoriété, tassant le monde pour occuper le centre des images qu'il voyait lui-même à faire publier. Fondateur de la Ligue des droits civiques et grand pourfendeur lui aussi de la presse jaune, Patenaude avait participé de très près à l'élection de Jean Drapeau comme maire de Montréal. Déçu par Drapeau, pour qui le pouvoir devint rapidement une fin en soi, Patenaude lui retira son amitié et écrivit un brûlot, *Le Vrai Visage de Jean Drapeau*, que Jacques Hébert s'empressa de publier. C'est ainsi que le gros et coloré J. Z. Léon Patenaude se trouva une deuxième vocation, celle du livre. Aussi mégalomane que Jean Drapeau pouvait l'être, amateur de livres érotiques dont il se vantait de posséder la plus importante collection de ce bord-ci de l'Atlantique, Patenaude contribua à la création des premières associations professionnelles du livre et des premiers programmes de subventions aux auteurs et aux éditeurs des gouvernements du Canada et du Québec. Il rêvait de doter Montréal d'une foire du livre aussi prestigieuse que celle qui se tenait tous les automnes à Francfort, mais ce fut un fiasco quand la chose eut lieu au Palais du commerce. Quel intérêt les grands éditeurs étrangers auraient-ils eu à venir négocier à Montréal la vente des droits de leurs livres alors qu'ils étaient déjà puissamment organisés pour le faire ? Devant l'échec, Patenaude créa le Salon du livre de Montréal. Je visitai le premier, qui était un véritable fourre-tout. Si on n'y trouvait que peu d'écrivains véritables, les diseurs de bonne aventure, les lecteurs des lignes de la main et les faiseurs de cartes astrologiques y étaient en revanche nombreux. Yves Thériault aurait voulu qu'on l'enferme dans une cage de verre au milieu de la salle. Il y aurait tapé à la machine toute la journée, écrivant un roman que Jacques Hébert aurait fait paraître le dernier jour de l'événement.

Ce n'était pas si mal pensé en ce temps où la littérature québécoise, lorsqu'elle n'était pas écrite par des clercs, était considérée comme de la corde à tisser le vent, imaginée par des quêteux à cheval décrivant un pays dont personne ne voulait, les clercs par mépris et le peuple par ignorance. Grâce à cette idée géniale qu'avait eue Edgard Lespérance des Éditions de l'Homme, le livre dit *populaire* se vendait désormais un dollar, ce qui avait permis aux distributeurs de bas nylon, de cacahuètes et de chips œuvrant hors de Montréal d'ajouter la littérature à leur fourniment. Ce fut grâce à des distributeurs comme Jalbert si le livre québécois se retrouva alors dans les pharmacies, les dépanneurs, les boutiques de chasse et pêche et les stations d'essence. Si la qualité manquait souvent, on pouvait au moins y acheter l'*Agaguk* de Thériault, *Un Yankee au Canada* de Thoreau et *La Vie orageuse d'Olivar Asselin*, comme moi-même j'avais fait alors que, revenant d'un tour de la Gaspésie, je m'étais arrêté dans ce magasin général d'Amqui, étonné d'y voir, entre deux raques de harnais et de bottines de feutre, le modeste présentoir des Éditions de l'Homme.

Quand Jacques Hébert accepta de me publier, les choses avaient déjà beaucoup changé : de grands réseaux de distribution desservaient presque tout le territoire québécois et, grâce à l'émergence d'écrivains comme Marie-Claire Blais, Hubert Aquin, Réjean Ducharme, Michel Tremblay et Jacques Ferron, notre littérature était en véritable ébullition. Imaginez ! Dans toute l'année 1948, il s'était publié quatre romans au Québec et vingt ans plus tard, Jacques Hébert se préparait à en éditer cinq en une semaine seulement !

Il rayonnait, le Jacques Hébert que je rencontrai ce jour-là dans son arrière-boutique du haut de la rue Saint-Denis, face au Carré Saint-Louis. Presque sans s'en rendre compte, il était devenu l'éditeur de la jeune littérature, prenant le relais du Cercle du livre de France qui, après avoir été pendant vingt ans le maître d'œuvre de notre roman, était en train de laisser le tapis lui glisser sous les pieds, Pierre Tisseyre ayant beaucoup vieilli et perdu ce flair grâce auquel il avait découvert Gérard Bessette, Claire Martin et Hubert Aquin. Devenu négligent comme beaucoup d'éditeurs sur le retour, il était passé à côté de Marie-Claire Blais et de Réjean Ducharme qui lui avaient d'abord soumis leurs manuscrits. Ces refus étonnants, qu'il assumait avec une certaine arrogance, l'avaient déconsidéré auprès des jeunes auteurs : ils ne pensèrent plus à la rue Rosemont, au profit du Carré Saint-Louis et de Jacques Hébert qui, selon le mot du Jacques Ferron des *Historiettes*, publiait n'importe quoi mais le faisait avec goût.

Quand je lui remis les épreuves de mon roman, Jacques Hébert tenait une poignée de graines de tournesol dans une main et un verre de scotch dans l'autre. Saisies du bout des doigts, les galées lui échappèrent aussitôt pour se retrouver, désorganisées, sur le plancher. Hébert poussa un tonitruant « Race de monde ! » le patois rendu célèbre par le père Didace

Beauchemin, ce beau personnage du *Survenant* de Germaine Guèvremont que j'avais lu au moins une dizaine de fois après le naufrage de Saint-Jean-de-Dieu et notre déportation dans Morial-Mort. C'est à cause de Guèvremont si les personnages de *La Famille du roman scié* étaient passés de Beaulieu à Beauchemin. Aussi ai-je dit à Jacques Hébert, tout de suite après son tonitruant « Race de monde ! » :

« J'ai pris à Germaine Guèvremont le patronyme de sa tribu. Pour le titre de mon roman, est-ce que ça ne serait pas une bonne idée de lui voler également ce qui a rendu le père Didace aussi célèbre ? »

Hébert, à qui le titre original de mon roman déplaisait, entérina le changement proposé. J'apprendrai en travaillant avec lui que c'était là l'une de ses manies d'éditeur : il aimait rarement les titres proposés par les auteurs et s'amusait à les rebaptiser, pas toujours heureusement comme en fait foi le *À pierre fendre* de Pierre Turgeon devenu le si laid *Faire sa mort comme faire l'amour* !

Les épreuves remises à sa secrétaire, Hébert m'invita à descendre avec lui la côte à Baron. Les travaux de réfection du 1651, rue Saint-Denis n'avançaient pas aussi rapidement qu'il l'aurait voulu et ça l'inquiétait pour la semaine des festivités dont la date, déjà annoncée, ne pouvait plus être changée. Quand je vis dans quel fouillis étaient les lieux que je visitai, bouts de cloisons démolies, morceaux de plancher arrachés, avec plein de fils électriques pendant partout et de laine minérale sortant des murs, je partageai l'inquiétude de mon éditeur :

comment un tel désordre deviendrait-il habitable en moins de trois semaines ?

Hébert n'angoissait pas seulement pour ses nouveaux bureaux, mais aussi parce qu'il venait de perdre Jean-Marie Poupart, son directeur littéraire que l'enseignement de la littérature passionnait plus que le métier d'éditeur. Pour Hébert, ça ne pouvait plus mal tomber : depuis le succès obtenu par Katimavik sur la Terre des Hommes de 1967, il besognait comme un forcené à mettre sur pied Jeunesse Canada Monde, un organisme destiné à sensibiliser les adolescents canadiens et québécois aux grands problèmes internationaux en les faisant travailler dans les pays dits du tiers-monde. Cela obligeait Hébert à s'absenter souvent et parfois pour des semaines complètes. Il avait donc besoin de remplacer Poupart le plus rapidement possible. Il m'offrit le job, que je ne devais occuper qu'à mi-temps parce que je tenais à passer mes matinées à écrire, ne serait-ce que pour la radio de la société d'État qui m'avait commandé une série de treize émissions d'une heure sur la littérature américaine. Hébert me demanda de changer mes habitudes de travail, me disant :

« J'aurais surtout besoin de toi le matin. Si tu commençais tôt, tu pourrais profiter de tes après-midi pour écrire. Ça serait un changement d'horaire, rien de plus. »

C'est ainsi que je devins l'adjoint de Jacques Hébert. J'arrivai par un petit matin de pluie aux nouveaux bureaux des Éditions du Jour… et je n'en sortis que très tard le soir, comme ça devait être souvent le cas pendant les cinq ans que je passai rue

Saint-Denis. J'appris à me lever à quatre heures du matin afin d'écrire au moins trois heures par jour, puis, mes deux grandes feuilles de notaire remplies de pattes de mouche, je montais dans ma machine, traversais Terrebonne et presque tout le Grand Morial pour me retrouver devant des piles de manuscrits à lire ou à faire paraître. Quel apprentissage, et que de surprises dans ces mots des autres que je devais à mon tour rendre dans leurs grosseurs !

Quatre

Le bureau que j'occupais aux Éditions du Jour était aussi celui des archives consacrées aux auteurs, dans deux grands classeurs dissimulés derrière une fausse cloison. Je passai de longues heures à lire systématiquement tous les dossiers qui s'y trouvaient parce que beaucoup des ouvrages publiés par Jacques Hébert étaient l'œuvre d'auteurs que je ne connaissais pas. C'était particulièrement le cas pour presque tous ceux-là qui écrivaient des livres dits pratiques ou utilitaires, si populaires à la fin des années soixante. Hébert en publiait un grand nombre, les Québécois découvrant alors les plaisirs de manger, de faire l'amour librement et de voyager par le vaste monde. Les avocats, les psychologues et les psychiatres pullulaient, conséquence de la radio et de la télévision qui en avaient fait des vedettes, tel le docteur Lionel Gendron dont les livres sur la sexualité se vendaient comme des petits pains ou Léon Trépanier dont la série radiophonique *On veut savoir* était devenue un grand succès de librairie. Les éditeurs littéraires justifiaient leur politique éditoriale en prétendant qu'on devait au livre dit pratique ou utilitaire l'émergence de la grande littérature québécoise, elle qui avait permis de vendre cent mille exemplaires de l'*Agaguk* de Thériault et presque autant de *La Guerre, yes Sir!* de Carrier. Hébert lui-même tenait à rappeler régulièrement que les nombreux et jeunes écrivains qu'il publiait dans la collection « Les romanciers du jour » devaient une fière chandelle à Janette Bertrand et à son livre de recettes tiré lui aussi à plus de cent mille exemplaires. Il est vrai que les gouvernements de ce temps-là considéraient l'aide à l'édition comme un geste de charité et qu'ils ne s'en cachaient pas, peu de députés et de ministres lisant autre chose que les chroniques parlementaires publiées dans les journaux.

C'est ce que j'appris dans les documents d'archives ramassés par Hébert – cette indifférence ou, pis encore, cette condescendance des pouvoirs publics pour une littérature qui cherchait à devenir nationale plutôt que complémentaire par rapport à celle que l'on importait de l'étranger. Le volumineux dossier de l'édition d'*Une saison dans la vie d'Emmanuel* de Marie-Claire Blais rendait parfaitement compte de l'état précaire de notre littérature et de la difficulté que nous avions à nous percevoir nous-mêmes contemporains du reste du monde.

Depuis ma lecture de *La Belle Bête*, ce premier roman que Marie-Claire Blais écrivit alors qu'elle n'avait pas encore dix-huit ans, j'avais pour elle une affection presque amoureuse. Le monde qu'elle décrivait ressemblait tellement à celui de ma famille que je la considérais comme cette grande sœur que j'aurais voulu avoir. Dans un moment de découragement, je lui avais écrit à Cape Cod sous le prétexte d'une entrevue à faire pour le magazine *Maclean's* et j'avais été ébloui par la lettre qu'elle m'avait envoyée – cette belle main d'écriture tellement différente de la mienne que j'aguissais parce que, malgré toute l'application que j'y mettais, mes mots étaient si illisibles que je dus m'astreindre à écrire en lettres détachées comme le plus profane des prosateurs. Quand, plus tard, je ferai connaissance avec les mots de Michel Garneau et ceux de Madeleine Gagnon, magnifiquement calligraphiés, j'éprouverai de nouveau le sentiment que j'avais eu vis-à-vis de Marie-Claire Blais, comme si dans la beauté physique de l'écriture s'ouvrait déjà tout le champ de la poésie.

Dans mon bureau des Éditions du Jour, je passai une journée et une soirée à lire le dossier d'auteur de Marie-Claire Blais. J'entrai là-dedans comme si j'avais eu un roman devant moi et n'en pus sortir qu'une fois rendu à la fin. C'est grâce au grand critique américain Edmund Wilson si l'œuvre de Marie-Claire Blais, trop exigeante pour être populaire même au Québec, fut reconnue à l'étranger. À cause de la passion qu'il entretenait pour le peuple mohawk, Wilson découvrit le Québec et sa singularité dans le grand espace américain. Quand il lut *Une saison dans la vie d'Emmanuel*, son enthousiasme fut tel qu'il persuada son éditeur de New York de le publier aux États-Unis. À la sortie du roman au Québec, la critique, encore contrôlée par les clercs, s'était montrée plutôt mitigée, elle avait mal accepté cette misère sociale et culturelle dont la tuberculose était le symbole. Ceux et celles qui n'en mouraient pas comme Héloïse devaient entrer au bordel comme on entre en religion afin que la pauvreté ne soit plus la seule habitation possible pour le corps et pour l'esprit. Ce grand roman de notre désespérance, Wilson le fit connaître à l'étranger. C'est ainsi que les Français s'y intéressèrent et le publièrent à leur tour. Si New York considérait Marie-Claire Blais comme une grande écrivaine, pourquoi Paris n'en ferait-il pas autant ? Dans leur condescendance envers toute littérature francophone produite hors de l'Hexagone, les éditeurs parisiens pratiquaient une politique éditoriale colonialiste : les écrivains suisses, belges et africains devenaient automatiquement français dès que publiés par les Éditions du Seuil, Gallimard ou Grasset. Dans le cas de Marie-Claire Blais, Grasset aurait préféré négocier un contrat d'achat de droits en passant directement par New York plutôt que par Montréal et les Éditions du Jour, par goût pour ce snobisme si caractéristique des vieux restants d'empire. La correspondance échangée entre New York, Paris et Montréal disait fort bien que l'éditeur québécois n'était pas encore pris au sérieux, qu'on le percevait comme un amateur incapable de jouer le grand jeu des mots des autres. Ce fut l'un des mérites de Jacques Hébert de tenir son bout pour obtenir de Grasset cette reconnaissance qu'on ne voulait pas lui accorder.

Il est vrai toutefois que, lorsque j'y arrivai, les Éditions du Jour fonctionnaient dans l'à-peu-près plus souvent qu'autrement. Jean-Marie Poupart et André Major étaient les lecteurs de la maison pour tous les manuscrits littéraires qu'on y recevait, Jacques Hébert prenant lui-même connaissance des ouvrages pratiques ou politiques. Si Jean-Marie Poupart était d'une grande perspicacité, en revanche les notes que me remettait Major n'étaient pas toujours très claires : aimait-il ou n'aimait-il pas ce que je lui donnais à lire ? Devant la mollesse de plusieurs de ses commentaires, je dus recourir à un troisième lecteur. En trouver un ne fut pas aussi simple que la chose peut le sembler puisque lire un manuscrit exige une sensibilité singulière. Il faut d'abord comprendre qu'un manuscrit n'est pas encore un livre achevé et pouvoir imaginer ce qu'il pourrait devenir une fois retravaillé par son auteur. Il faut savoir aussi ne pas se substituer à son créateur, c'est-à-dire respecter autant qu'il est possible de le faire l'originalité qui est la sienne, tant pour le fond que pour la forme. Trop de lecteurs, de conseillers littéraires et de réviseurs sont incapables de se soumettre à cette simple loi. Ce qu'ils demandent souvent à l'auteur, c'est d'écrire comme eux-mêmes le feraient. S'ils n'aiment pas l'usage des adverbes ou celui des points de suspension, si la ponctuation de ce qu'ils lisent ne correspond pas à leur propre rythme, ils prennent tous le mauvais parti d'intervenir dans la phrase au nom d'une normalisation souvent discutable. Il m'arrive de me demander ce que seraient devenus les manuscrits de Rabelais s'ils avaient dû subir l'intransigeance de certains des correcteurs que j'ai côtoyés depuis que je suis éditeur. Gargantua aurait sûrement perdu de ses rondeurs et aurait pété bien moins souvent que dans le chef-d'œuvre du bon moine !

Il est vrai toutefois que ça ne risquait pas vraiment d'arriver aux Éditions du Jour telles qu'elles étaient quand j'y fus embauché, personne ne révisant les manuscrits qu'on y acceptait. Il en allait de même pour le choix de la typographie et de l'imprimeur. J'ai vu ainsi un roman d'André Major, lu durant un weekend par Jacques Hébert, se retrouver le lundi midi entre les mains de l'imprimeur avec cette seule note de l'éditeur : « Faites-moi de ce manuscrit un livre de cent vingt pages. » Le correcteur d'épreuves étant aussi celui de l'imprimeur, les livres publiés n'étaient guère satisfaisants, du moins pour moi que mon stage aux Éditions Larousse avait rendu plus rigoureux. Ma passion pour les beaux livres que je m'étais mis à collectionner me donnait un tout autre point de vue sur le métier d'éditeur. Chaque ouvrage ne devait-il pas être un objet en soi, pour lequel on devait employer une typographie appropriée, une disposition singulière du texte et un papier d'impression à l'avenant ? Partisan du livre populaire, Hébert utilisait, même pour la collection « Les romanciers du jour », un *news print* qui, bien que déjà jaune, le devenait encore davantage après quelques semaines seulement d'exposition à la lumière. Le papier devenait cassant comme de la vitre et tolérait mal la colle servant à faire tenir ensemble les cahiers. Si on ouvrait un peu brutalement l'ouvrage, l'épine se défaisait et, par paquets, les pages nous restaient dans les mains.

Quand je demandai aux imprimeurs un papier de meilleure qualité, je fus déconcerté par leurs réponses : ils n'en avaient pas. Si le Québec en produisait beaucoup, il ne restait pas chez nous, étant presque tout exporté principalement aux États-Unis. Le laisser-faire des éditeurs, pour la plupart issus du monde du journalisme, avait contribué au désintérêt des grandes papetières à l'endroit du livre québécois. Elles n'offraient donc sur le marché local que les restes de leur production ou du papier fin si coûteux qu'on ne pouvait l'utiliser que pour des ouvrages de luxe commandant de petits tirages. L'édition québécoise étant en pleine ébullition et désireuse de mettre fin à sa réputation du n'importe quoi n'importe comment, les imprimeurs durent eux aussi se mettre à jour. Ils finirent par offrir un papier gonflé et blanchi chimiquement. Bien que peu résistant lui aussi à la lumière, il donnait au moins pendant quelques mois l'illusion de mieux abriller les mots dont on l'encrait.

Lorsque ce papier fut enfin disponible, j'en profitai pour convaincre Jacques Hébert de revamper les différentes collections que publiaient les Éditions du Jour. La photocomposition n'étant encore qu'une curiosité technologique, je dus me débrouiller avec les quelques polices de caractères dont disposaient les imprimeurs, de vieilles fontes mangées aux empattements, avec l'œil des lettres bouché à force d'avoir servi. Jacques Gagnier était alors le maquettiste attitré des Éditions du Jour. C'était un vieux camarade d'université de Jacques Hébert. Ils avaient travaillé ensemble au *Carabin*, Gagnier y publiant des caricatures et des illustrations tout en participant aux célèbres revues de fin d'année des étudiants. Il dessinait à la manière de Robert LaPalme mais manquait nettement d'imagination, surtout quand je lui confiais les manuscrits de ces jeunes auteurs qui, tel Louis-Philippe Hébert, écrivaient dans la foulée du nouveau roman français. Gagnier était allergique à l'éclatement des formes, il n'en comprenait pas la nécessité parce qu'il n'en retenait après lecture aucune image pouvant l'aider à créer à son tour. Louis-Philippe Hébert, dont *Le Roi jaune* devait inaugurer la collection « Prose du jour », était catastrophé par les projets de maquettes que soumettait Gagnier. Il me parla alors de Micheline Lanctôt qui, en attendant de trouver à satisfaire sa passion pour le cinéma, gagnait sa vie comme touche-à-tout, comédienne, actrice ou illustratrice, tout dépendant de ce qu'on voulait bien lui offrir. Elle devint donc la maquettiste attitrée des ouvrages publiés dans « Prose du jour » et fit la jaquette de quelques autres ouvrages, notamment les *Historiettes* de Jacques Ferron. Lanctôt n'avait pas beaucoup de talent comme illustratrice, ce qui la portait à abuser du collage, une technique que je n'aimais pas particulièrement depuis qu'une mystérieuse correspondante se prenant pour Antonin Artaud m'en faisait parvenir presque quotidiennement.

J'ai déjà dit que le grand mérite de Jacques Hébert était cette ouverture d'esprit qui, jumelée à son côté gavroche et contestataire, le rendait éminemment populaire auprès de la jeunesse. La Révolution tranquille avait coïncidé avec l'exode de la population rurale vers Montréal et la réforme de notre système d'enseignement, enfin démocratisé et gratuit pour tous jusqu'à l'université. Les filles et les fils d'ouvriers purent donc se mettre à rêver d'être autre chose dans la vie que de petits employés de bureau, des commis d'épicerie et des opérateurs de machines-outils. La sclérose d'une Église enfermée dans son conservatisme incitait la jeunesse à se tourner vers le mouvement beat américain et cette nouvelle spiritualité qu'il défendait : libéralisation de la sexualité, usage des drogues hallucinogènes favorisant l'élargissement de la conscience, promotion du bouddhisme zen pour remplacer un catholicisme et un protestantisme vidés de toute substance. Cette ébullition culturelle fit du Québec des années soixante une terre ouverte à toutes les explorations de la pensée et du langage, elle nous rendit contemporains par rapport au reste du monde : Marie-Claire Blais, Réjean Ducharme, Michel Tremblay, Jacques Ferron et Hubert Aquin étaient les héros de cette nouvelle génération d'écrivains qui façonneraient un pays enfin libre et socialiste. En poésie, Gaston Miron, Paul-Marie Lapointe et Claude Gauvreau avaient rendu souverain notre langage et incité des dizaines de jeunes créateurs à faire profession de l'écriture, dans une liberté que les vingt ans du régime duplessiste avaient délibérément étouffée avec la complicité des clercs, de la police et d'une bureaucratie moyenâgeuse.

Les vannes de la création s'ouvrant toutes grandes, il était normal que l'on trouvât n'importe quoi dans le déferlement de ses eaux, y compris la folie et la schizophrénie. Le Québec étant le pays des familles nombreuses, de la promiscuité et de l'inhibition des sentiments, quoi de plus normal que cela fît brusquement surface et nous révélât aussi dans ce que nous avions de plus douloureux, de plus pitoyable et de plus menacé ?

Je le compris quand Huguette Gaulin-Bergeron se mit à m'écrire anonymement après l'acceptation de son manuscrit *Lecture en vélocipède*, un recueil de poésie que Marcel et François

Hébert, nouveaux lecteurs aux Éditions du Jour, m'avaient chaudement recommandé. Je fus touché par ces poèmes résolument modernes, aussi hallucinés et incantatoires que ceux d'Antonin Artaud. L'auteure refusant de passer rue Saint-Denis pour la signature de son contrat, je le lui fis donc parvenir par la poste. Quand je reçus la copie dûment signée, mais sans le moindre petit mot d'accompagnement, je trouvai que l'auteure allait un peu loin dans la discrétion, mais ne m'en inquiétai pas pour autant. J'aurais dû puisque Huguette Gaulin-Bergeron allait être cette mystérieuse correspondante, spécialisée dans le collage, qui me poursuivrait pendant des semaines de ses indéchiffrables énigmes avant de se mettre à m'envoyer des fleurs et de chauds billets qu'elle signait Juliette. Je les faisais lire par Gaston Miron, lui-même si souvent victime d'illuminés prenant plaisir à le harceler. Il me disait :

« Ne cherche pas à comprendre. Quand on est rendu aussi loin dans l'irréalité, même Artaud en arrive à croire que la canne qu'il exhibe dans Paris est celtique et sacrée, au point où il lui faut aller à Dublin pour la rendre au peuple irlandais. »

Je n'avais pas l'expérience de Miron, n'ayant jamais été confronté à la folie quand elle se fait agissante. Je ne connaissais pas encore suffisamment bien Jacques Ferron pour aller le rencontrer, comme je le ferais plus tard, à l'asile de Longue-Pointe ou à son bureau de médecin de Longueuil toujours bondé d'expatientes qu'il appelait ses informatrices, ce qui les encourageait à s'asseoir effrontément sur ses genoux et sur son pupitre pour mieux jacasser. J'avais des tantes schizophrènes, mais je les fréquentais peu ; et si j'avais parfois l'impression d'être moi-même atteint par le haut mal et commençais à en parler dans mes livres, mes origines campagnardes, pour ne pas dire terre à terre, reprenaient vite le dessus pour me ramener au plaisir que j'avais de vivre.

Voilà pourquoi m'a fasciné autant ma mystérieuse correspondante. Quand Huguette Gaulin-Bergeron m'avoua enfin que c'était elle, j'en restai littéralement estourbi tellement ce fut inattendu et pitoyable. Elle entra en coup de vent dans mon bureau, porta la main à son front couvert de boutons et me dit :

« C'est à cause de toi s'il m'en pousse maintenant partout. La nuit, tu m'envoies plein d'ondes et ça me défigure. Pourquoi ne réponds-tu jamais aux lettres que je t'envoie ? Attends-tu que je te trompe avec quelqu'un d'autre avant de réagir ? »

Je ne le fis pas cette journée-là ni durant les quelques mois que dura le trouble sentiment d'Huguette Gaulin-Bergeron à mon égard. J'aimais beaucoup ce qu'elle écrivait et je croyais que si je faisais preuve de patience et de compréhension, elle finirait par se reconnecter à la vie réelle et par sublimer sa folie dans des mots aussi incandescents que sa passion. Je me trompais. Je reçus de plus en plus de fleurs et de plus en plus d'appels téléphoniques absolument désorientés. Quand Huguette Gaulin-Bergeron ne me demandait pas d'aller chez elle afin de l'aider à vider son appartement de la flopée de lapins qui l'encombraient, elle se prétendait la proie de serpents la poursuivant entre les meubles pour s'emparer d'elle et l'étouffer à mort. Si je ne répondais pas aux messages qu'elle me laissait, parfois si tôt le matin que je n'étais pas encore au bureau, elle venait m'attendre à la porte des Éditions du Jour, restant assise tout l'avant-midi dans les marches, revêtue d'un long paletot noir, même durant les grandes chaleurs du mois d'août. Pour ne pas avoir à faire face à ses colères et à ses supplications, j'entrais aux éditions par la porte de derrière et m'embarrais dans mon bureau afin de pouvoir travailler en paix. Sinon, c'était l'enfer et j'en avais pour la journée à me débattre avec la folie.

Huguette Gaulin-Bergeron mit fin au désarroi qui l'habitait en s'imbibant d'essence sur le Champ-de-Mars avant de s'immoler par le feu. Je l'appris en écoutant les nouvelles télévisées qui montrèrent une photo d'elle, celle-là même dont j'avais reçu une douzaine d'exemplaires par la poste, au rythme d'une par jour et chacune toujours accompagnée d'un collage dont les images venaient toutes du monde d'Antonin Artaud et de Jean Paul Lemieux. Cette vie déraisonnée et cette mort tragique m'obsédèrent au point que je ne trouvai à m'en délivrer qu'en en parlant de façon dénaturée dans *Don Quichotte de la Démanche*.

Le temps que je travaillai pour Jacques Hébert, je me retrouvai ainsi à devoir me colletailler régulièrement avec la folie que même l'écriture n'arrivait pas à apaiser. Ce sera le cas de Jacques Ferron quand il se mettra à mal vieillir et celui d'Hubert Aquin qui passait régulièrement me voir rue Saint-Denis, de préférence en fin de matinée parce qu'il aimait manger au restaurant mais pas solitairement. J'avais connu Aquin chez Jacques Godbout et son génie me sidérait parce que farouchement moderne. De tous les lecteurs de James Joyce que j'ai connus, Aquin était celui qui l'avait le mieux fréquenté. Je trouvais même qu'il ressemblait au créateur d'*Ulysse* et de *Finnegans Wake*, ne serait-ce que par cette manie qu'il avait de toujours être bien habillé et de trimbaler partout avec lui une serviette de cuir qu'il n'ouvrait jamais. Mon intérêt pour Joyce de même que les nombreuses questions que je me posais sur une œuvre difficile à lire, surtout pour moi si méconnaissant de la langue anglaise, furent à l'origine de l'amitié la plus stimulante que je connus jamais. J'invitai quelques fois Aquin à mon bungalow de Terrebonne. Il trichait lorsque nous jouions aux cartes et au criquet, par ce défaut de concentration dont il ne se libérait qu'en ayant recours aux médicaments. Quand il en avait suffisamment ingurgité, son discours devenait d'une extrême acuité. J'en profitais alors pour aller chercher dans ma bibliothèque cette première édition de *Finnegans Wake*, tirée à trois cent vingt-cinq exemplaires et autographiée à l'encre verte par Joyce pour les seuls souscripteurs de son roman. Je l'avais dénichée chez William Wolfe, libraire dans le Vieux-Montréal, et avais mis presque deux ans à en payer le coût à raison de cent dollars par mois. Quand je voyais Aquin en tourner les pages tout en me parlant de Vico, de Parnell et du *Livre de Kells*, je succombais à la tentation de l'admiration, ce qui m'arrivait peu souvent.

Nos repas au Saint-Malo étaient mémorables, Aquin considérant sa propre vie comme une fiction, ce qui l'autorisait à en inventer de grands bouts, comme quand il me parlait de son enfance, de son père qui travaillait chez Omer DeSerres et de cet employé qui lui faisait des avances sexuelles. Je ne cherchais pas à savoir quelle part de vérité il pouvait y avoir dans les propos d'Aquin, même quand il prétendait gagner parfois sa vie comme détective. Les descriptions qu'il faisait des gens qu'il filait, toujours de belles femmes trompant leurs maris, conduisant de luxueuses voitures et s'inscrivant sous de faux noms dans les plus grands hôtels du Québec et de l'Ontario, étaient rien de moins que fabuleuses parce que portant le mythe de James Bond à son dernier degré d'achèvement. Aquin en fera la matière première de ses téléthéâtres, de *Prochain Épisode* et surtout de *L'Antiphonaire*, sans doute l'un des romans les plus modernes à avoir été publiés chez nous.

Aquin ayant déjà pris le maquis parce qu'il croyait que l'indépendance du Québec ne pourrait se faire dans cette caricature de démocratie qui était la nôtre dans les années soixante, je pensai à lui quand je créai au Jour la collection « Répertoire québécois ». J'y rééditais des ouvrages que notre peu de mémoire collective avait laissés s'empoussiérer, tels le voyage du comte de Gobineau jusque sur les bancs de morues de Terre-Neuve ou les récits londoniens de Louis Hémon. J'avais lu le journal de Maximilien Globensky sur la défaite des Patriotes de 1838 à Saint-Eustache et je demandai à Aquin une introduction à ce pavé de cinq cents pages que peu de monde, même parmi les frégauteurs de documents (selon ce mot de Jacques Ferron stigmatisant les historiens), connaissait. Aquin était pareil à Yves Thériault et manquait toujours d'argent. Il aurait voulu vivre comme Scott Fitzgerald, qui dilapidait sa fortune dans les grands hôtels du monde entier, les maisons de jeu et les voitures de luxe, mais la pauvreté ne le lui permettait pas. À Laval-sur-le-Lac, Aquin s'était acheté une propriété magnifique. Lorsqu'il m'y invita, il y habitait depuis un an dans un dénuement presque monastique. Le salon n'était meublé que d'un banc d'église et de deux vilaines chaises, et il n'y avait pas encore de rideaux aux fenêtres.

Pour son introduction au livre de Globensky, Aquin exigea mille dollars, ce qui était une somme considérable pour ce type de travail au début des années soixante-dix. Le chèque encaissé, je n'entendis plus parler de mon préfacier et je dus courir après lui pendant six mois avant qu'il écrive enfin le texte promis. Au lieu des deux dizaines de pages attendues, je n'en reçus que quatre et pas très explicatives quant au rôle joué par Globensky durant la rébellion des Patriotes. Jacques Hébert me manifestant son mécontentement, je demandai à Aquin de réviser son texte. Quand il me le rapporta au bout de trois longues semaines, il n'y avait ajouté que trois paragraphes !

Mon salaire aux Éditions du Jour étant insuffisant pour répondre aux besoins que j'avais, je devins professeur à l'Université du Québec à Trois-Rivières, y remplaçant au pied levé Adrien Thério frappé par la maladie. J'y donnais des cours de création littéraire, des cours sur le roman policier et sur Hubert Aquin. À la fin de la session, Aquin accepta de rencontrer les étudiants. Il vint donc me rejoindre chez moi à Morial-Mort, si tôt le matin que je lui offris le petit-déjeuner. Il refusa, me demandant un café pour homme, c'est-à-dire corsé au cognac. Je lui en servis deux, puis nous prîmes la route de Trois-Rivières, nous arrêtant au Miss Louiseville parce qu'Aquin avait un pressant besoin à soulager. Après une demi-heure à l'attendre dans ma machine, je fus assez inquiet pour entrer au restaurant afin de voir ce qui se passait. Je le trouvai dans les toilettes, un petit flacon de pilules à la main et en train de se regarder dans le miroir. Pour avoir lu et relu *L'Antiphonaire*, je savais qu'il arrivait à Aquin de contrefaire des ordonnances, sinon de voler plus simplement des médicaments, afin de rendre supportable son mal de vivre. À le voir ainsi, dans cette surréalité dont Sam Shepard aurait fait ses choux gras comme cinéaste, je me demandai s'il ne vaudrait pas mieux rebrousser chemin : mes étudiants s'étaient pris d'un tel enthousiasme pour Aquin que je ne voulais pas les décevoir en leur amenant quelqu'un qui serait à mille milles de leurs attentes.

Je m'en faisais toutefois pour rien, Aquin étant carrément génial toutes les fois qu'il se mettait en état de représentation. Je regrettai longtemps de ne pas avoir enregistré les propos qu'il tint pendant tout un avant-midi devant des étudiants si médusés par son érudition que certains d'entre eux nous invitèrent à manger au restaurant. Le vin rouge s'ajoutant aux médicaments, Aquin bascula dans un monde étrange, obscène et blasphématoire, comme s'il s'était viré à l'envers dans son beau complet de tweed anglais. Il appelait la serveuse « ma grosse cochonne », lui faisait de grossières avances et racontait plein d'histoires salaces, dignes de celles qu'avait répertoriées

Krafft-Ebing dans son livre sur les perversions. Quand l'une des étudiantes me dit qu'Aquin devrait écrire mes romans et moi les siens, je pensai à cette scène de *L'Antiphonaire* dans laquelle les deux héros, se retrouvant dans un restaurant de Montréal, font de la provocation en se masturbant mutuellement. Je rappelai ce passage à l'étudiante qui me proposa alors de rendre réelle la scène imaginée par Aquin, seulement pour voir s'il se rendrait compte de ce que nous ferions. Enfoncé trop loin dans l'hénaurme délire qui le tenait, Aquin ne s'aperçut de rien.

Notre retour à Montréal aurait pu figurer en bonne place dans un chapitre de *On the Road* de Kérouac. L'étudiante avec laquelle j'avais vécu le chaud passage de *L'Antiphonaire* vint avec nous, de même que cet autre étudiant, si gêné qu'il n'avait pas ouvert la bouche une seule fois tout le temps que nous étions restés au restaurant. Assis avec Aquin sur la banquette arrière, il fut terrorisé par le discours absolument cochon qu'il entendit, Aquin lui jouant le grand jeu de l'homosexuel en rabette. Ce n'était rien de plus qu'une scène du roman qu'il écrivait, mais l'étudiant n'était pas assez futé pour s'en apercevoir. Il croyait dur comme fer que la main baladeuse d'Aquin sur sa cuisse était *réelle*, tout autant que les mots férocement dragueurs qu'il utilisait. Aussi l'étudiant me demanda-t-il d'arrêter ma machine sur le bord de l'autoroute et en sortit-il comme s'il avait eu la queue de chemise en feu. Fier de son coup, Aquin se calma aussitôt et s'endormit. Quand nous arrivâmes à Montréal, je dus l'aider à rentrer chez lui tellement l'avait épuisé cette journée qu'il avait passée dans la peau de Jean William Forestier, le personnage de son invention qu'il mettait au-dessus de tous les autres.

Je n'allai pas dormir chez moi cette nuit-là, trop excité par le compagnonnage d'Aquin pour trouver sommeil. Je me doutais bien que je ne vivrais plus de moments d'une telle intensité avec lui comme si, pendant de longues heures, j'avais eu le privilège d'être reçu au centre même de ce qui rendait son génie si fascinant. J'ai erré dans Montréal jusqu'aux petites heures du matin, submergé par une émotion qu'aujourd'hui encore j'ai du mal à décrire. Je me sentais l'égal de ce mol Léopold Bloom trop raisonnable, qui traverse les rues de Dublin en compagnie de Stephen Dedalus qu'il aime, mais qui lui restera toujours étranger par manque de folie véritable. J'aurai le même sentiment quand je ferai la connaissance de Claude Gauvreau, de Josée Yvon, de Denis Vanier et du comédien Maurice Gibeau qui se suicida parce que aucune pièce de théâtre ni aucun personnage ne pouvait aller plus profond que la souffrance l'habitant. Quand, plusieurs années plus tard, je verrai Gilbert Langevin pour la dernière fois, si démuni devant l'hydre monstrueuse qui allait l'emporter, j'en pleurerai de tristesse – ce poète si énergique, dont les mots étaient des chants appelant le pays à naître, il n'était déjà plus qu'un fantôme assis à cette table du Dunkin Donuts de la rue du Mont-Royal, de retour d'une odyssée à Ottawa qui avait mal tourné et porté son délire à l'extrême limite du vivable. Croire que vous êtes devenu l'adjoint d'un grand éditeur canadien-anglais, que vous gagnerez désormais cent mille dollars par année et qu'ainsi vous pourrez ressusciter le Mouvement fraternaliste, l'Atelier d'expression multidisciplinaire et les Éditions Atys, quel rêve étrange lorsque vous n'avez même pas de quoi payer le café et le beigne que vous avez commandés !

Heureusement, la folie n'est pas toujours désolation du corps et de l'esprit. Elle est parfois d'une formidable joyeuseté, elle vous surprend comme un cheveu sur la soupe, elle vous stimule dans tout ce qui se trouve de rieur en vous et de prodigieusement sain – cette part de soi qui fait de la passion d'éditer un plaisir singulier, celui que je connus quand Raôul Duguay entra dans mon bureau des Éditions du Jour, vêtu d'une longue robe orientale, chaussé de sandales romaines, coiffé d'un énorme bonnet à pompons et portant ce manuscrit qu'il mit devant moi en chantant à tue-tête :

Voici mon témoignage !
Voici le Manifeste de l'Infonie !
Voici le ToutArtBel !
Prenez et lisez
Au moins 3 333 fois
Car Toulmond
S'y redonne son nom !

Je n'aurai pas trop du prochain chapitre pour rendre compte de ce que Duguay et son manuscrit ont changé dans ma vie, celle de l'éditeur comme celle de l'écrivain.

Cinq

En 1970, l'établissement de l'Université du Québec en plein cœur du quartier Saint-Denis paraissait peu évident. On n'avait pas encore démoli l'église Saint-Jacques, que Jacques Ferron affectionnait au point de toujours garer sa voiture dans le parking qu'il y avait derrière quand, deux après-midi par semaine, il en avait assez de besogner comme médecin et comme écrivain, le besoin de voir du monde le poussant à traverser le pont Jacques-Cartier pour venir dans ce Grand Morial qu'il appelait *le château*, se rappelant sans doute, lorsqu'il marchait rue Saint-Denis, ses commencements professionnels juste à côté, à la hauteur de Sherbrooke et Saint-Hubert.

Le quartier Saint-Denis de 1970 formait un tissu social digne de la grande tradition des faubourgs à m'lasse que les gagne-petit habitaient depuis le milieu du dix-neuvième siècle. De vieux épiciers originaires de la Gaspésie, des boucheries, le vétuste Théâtre Saint-Denis au-dessus duquel logeait mon ami Jean-Paul Kaufman, ce journaliste français qui devint célèbre malgré lui quand des terroristes islamistes le prirent comme otage au Moyen-Orient et le gardèrent prisonnier plus de deux ans. Face au Saint-Denis, il y avait la Librairie québécoise, que tenait un professeur gauchiste que sa longue barbe faisait ressembler étrangement au bolchevik Boukharine. Près de la rue Ontario, Jean Bode faisait commerce comme éditeur et comme libraire, et je lui rendais souvent visite parce que, contrairement à Henri Tranquille dont j'ai toujours trouvé la réputation surfaite, il ne parlait que de ce qu'il connaissait bien. En tant qu'éditeur du théâtre de Ferron et de celui de Sauvageau, grand connaisseur de la poésie québécoise, dont il publia plusieurs recueils importants, Bode avait la passion des ouvrages bien confectionnés. Si je doutais de mes choix typographiques ou d'une mise en pages que je voulais faire, je me rendais à la librairie Déom y parlementer avec Jean Bode. Il me faisait penser à José Corti, si courageux d'être libraire-éditeur tout en élevant une douzaine d'enfants ! Lorsque la traditionnelle rue Saint-Denis coulera à pic, emportée par la spéculation, ce ne sera pas sans amertume que je verrai disparaître l'enseigne de la librairie Déom au profit de celle de L'Axe, un cabaret de danseuses et de danseurs nus.

Entre ses librairies, ses épiceries, ses boucheries, le vétuste Théâtre Saint-Denis et la bibliothèque Saint-Sulpice, la rue Saint-Denis était aussi le haut lieu de ces *tourist rooms* qui, après la deuxième Grande Guerre, avaient fait la fortune des commerçants du Red Light. Négligés, les bâtiments avaient mauvaise mine et les chambres s'étaient déglinguées. On les louait à la petite semaine à des gens qui n'avaient pas les moyens de se payer un logement décent, des vieux et des vieilles qui n'avaient plus de famille, des désœuvrés dont la plupart venaient de la Gaspésie et du Bas-du-Fleuve, qui n'avaient pas trouvé leur quitus de vie dans le Grand Morial et étaient devenus alcooliques, crasseux et misérables. Pendant quelques mois, je partageai leur vie. Je m'étais séparé pour une première fois de ma femme et cela s'était fait de façon si soudaine qu'en attendant d'avoir le temps de me trouver un appartement convenable, j'avais pris un pied-à-terre dans ce *tourist rooms* juste à côté des Éditions du Jour. Mes voisins de chambre étaient les ancêtres du peuple des itinérants qui envahirait bientôt le Grand Morial – une femme édentée portant toujours panier parce qu'elle ramassait les bouteilles vides dans les parcs et les ruelles, un homme à grande barbe jaunasse jouant inlassablement du ruine-babines même sous cette douche commune qu'il y avait au fond du bâtiment, un handicapé dont la main était un hideux crochet de fer. Sans m'en rendre compte, j'avais peut-être dérivé de Montréal à New Bedford, habitant désormais cette Auberge de la baleine en compagnie des personnages inventés par Herman Melville dans son fabuleux *Moby Dick*.

Quand je sortais au petit matin du *tourist rooms* après une nuit de peu de sommeil parce que je la passais presque toute à écrire, j'allais petit-déjeuner au Select, au coin de Saint-Denis et de Sainte-Catherine, ou à La Fontaine de Johanie, près du Carré Saint-Louis, que j'affectionnais plus particulièrement parce que j'y avais fait la connaissance d'un Jacques Ferron relevant de maladie, le visage gris comme un ciel d'automne et arborant, par dérision, un macaron-portrait de Pierre Elliott Trudeau. J'y avais pris aussi un premier café avec Claude Gauvreau, qui habitait Terrasse Saint-Denis, Pierrot-le-Fou Léger, Louis Geoffroy et tous ces autres paumés qui, après avoir fait la fête à la Casanous et au Black Bottom du Vieux-Montréal, refusaient presque désespérément de mettre fin à l'ivresse qui les sustentait bien plus que les œufs brouillés commandés à des serveuses appartenant d'office au petit monde de Michel Tremblay.

J'aimais cette rue Saint-Denis avant que le soleil se lève dessus, j'aimais la faune bigarrée qui y déambulait dans les couleurs fauves de ses travestissements. J'y retrouvais l'univers dépeint sublimement par Jean Basile dans *La Jument des Mongols*, ce roman si important dans notre littérature pour l'invention du Montréal qu'on y trouve enfin, éclaté de partout et porteur d'un ludisme libertaire que personne encore n'avait pris le temps de décrire. À cause de notre peu de mémoire, on a oublié aujourd'hui *La Jument des Mongols*, comme on ne se souvient plus guère du *Grand Khān* et des *Voyages d'Irkoutsk*, ce qui est bien dommage puisque c'est d'abord dans cette trilogie-là que Montréal s'offre à nous dans la luxuriance de sa modernité, celle du corps comme objet de gloire et celle de l'esprit en tant que possible assomption de l'homme.

Jean Basile n'était pas que le romancier de Montréal. Après avoir dirigé pendant plusieurs années les pages dites culturelles du journal *Le Devoir*, il laissa tomber son job pour devenir le gourou de la contre-culture québécoise, fondant la revue

Mainmise dont les quartiers généraux étaient à quelques portes des Éditions du Jour. Le Basile un brin arrogant du *Devoir* et au vestimentaire à la Claude Ryan se mua en cette espèce de pope russe à barbe et aux cheveux longs, à chemise rouge, cravate fleurie et larges bretelles. Je le surprenais souvent à prendre l'air sur le seuil de l'entrée de *Mainmise*, un gros joint à la bouche. Ce Basile-là me trouvait si straight qu'il ne pouvait accepter que je devienne véritablement son ami. Je l'interrogeais trop sur ses origines russes et sur Dostoïevski dont j'aurais voulu en ce temps de la rue Saint-Denis faire une histoire. Et puis, je me tenais à mille milles des champignons magiques, de la mescaline et du LSD, par peur d'en aimer trop la consommation et de ne plus pouvoir m'en passer. Je me limitais au whisky auquel John Richmond, journaliste au *Montreal Star*, m'avait initié, et je n'en buvais que durant les cocktails de presse que nous donnions tous les lundis et les mercredis afin de célébrer la parution de nouveaux ouvrages. Je ne me mettrai à boire vraiment que beaucoup plus tard, quand je n'arriverai plus à concilier, par surcharge de travail, mon métier d'éditeur, celui d'écrivain et celui de téléromancier. En 1970, je n'avais pas besoin de dormir très longtemps, je savais récupérer rapidement de mes fatigues sans me stimuler artificiellement, ma jeunesse me tenant lieu de manteau comme l'avait avant moi si longtemps prétendu Victor Hugo.

Comme Denis Vanier et tant d'autres jeunes poètes québécois, Raôul Duguay fréquentait *Mainmise*. J'avais lu ses premiers écrits publiés à l'Estérel, deux recueils de poésie dont la chaude sensualité, par le libéralisme qui la portait, m'avait fasciné. Le problème de Duguay, c'est qu'il croyait avoir tous les talents, de sorte que le poète en lui dut se tasser quelque peu pour faire place à ce wéziwézeau pour qui la pratique du spectacle représentait le ToutArtBel dans ses emprunts au théâtre, à la musique, à la chorégraphie et au chant. Wéziwézeau était devenu une vedette de la télévision, il y chantait ses étonnantes compositions, parfois affublé d'un invraisemblable costume d'oiseau ou revêtu d'une peau de vache, d'énormes pantoufles aux pieds, des clochettes et un vire-vent dans les mains et un énorme casque de pompier en guise de couvre-chef. Avec Walter Boudreau, Duguay fonda L'Infonie, le premier groupe musical postmoderne du Québec, le seul qui, pour s'inspirer de la contre-culture américaine, ne sacrifiait rien à ses origines européennes et québécoises. J'achalais souvent Duguay pour qu'il en rende compte dans un livre, mais emporté par les grandes ailes de son wéziwézeau, le temps lui manquait toujours.

Aussi fus-je donc le premier étonné quand il survint dans mon bureau et mit devant moi le manuscrit du *Manifeste de l'Infonie* dont le seul incipit était déjà tout un programme en soi :

Âme
Que rien ne se perde tout se crée
Sois ô prolétaire roi de ton rêve
Que tout l'monde soit en bonne santé
Sois ô homme la liberté en action
Que l'enfance de l'art ressuscite

Sois ô évolution du dehors dedans
Puisse le sourire éclairer la vie
Vie
Ô.

C'était un vendredi de la mi-juillet et, devant l'insistance fiévreuse de Duguay, je lui promis de lire son manuscrit durant le week-end afin de lui donner réponse dès le lundi suivant. En passant au travers du *Manifeste de l'Infonie*, je fus souvent hilare car Duguay y pastichait aussi bien *Le Petit Catéchisme* que les mantras bouddhistes, aussi bien saint François d'Assise que Teilhard de Chardin. Très métaphorique, le langage puisait à fond dans les racines québécoises, chargé d'images populaires comme dans « Ma cour est un Car Washshsh » :

Ça tire, ça tire
Moé j'veux devenir un arbre
Ou un fantôme errant.

Je tourne en long
Et ça sent bon
Dans le nez froid
D'un ange bronzé.

Manger à terre
Parler aux pierres
Pi léviter souvent souvent.

Loin des gros nerfs électriques
Qui font du train pleins d'gros méchants
Viens manger des patates dans 'sauce
Qui vont t'foker toute le dedans.

Cendrillon travaille d'in drive-in
Le père Noël a une moto
Moé j'perds la carte, moi j'perds la carte
Partout c'est plein de Eubeurnak !

À côté de ce genre de poésie inspirée des automatistes, on trouvait quantité de textes savants sur la musique moderne et des portées musicales absolument indéchiffrables pour les profanes dont j'étais. L'ensemble était hénaurme, un brin démentiel parce que charriant les eaux d'une contre-culture selon laquelle toutes les valeurs devaient se renverser sur elles-mêmes pour produire aussi bien de la beauté que de la niaiserie, aucune censure ne devant s'exercer sur les mots, les sentiments et la pensée. C'est cela surtout qui m'a séduit dans le *Manifeste de l'Infonie* et c'est cela que je défendis devant un Jacques Hébert qui, après avoir feuilleté le manuscrit de Duguay, avait plus envie de le jeter à la poubelle que le goût de le publier. Si Hébert aimait la jeunesse contestataire, il la voulait bien élevée, macrobiotique sans doute mais de préférence abstinente quant aux drogues et pas trop décollée de terre dans son langage. Le personnage que Duguay s'était créé lui faisait un peu peur à cause de tous les excès qu'il rendait possibles.

Après deux heures de discussion, j'eus enfin le feu vert pour publier le manifeste. Je me précipitai à mon bureau, pressé d'annoncer la bonne nouvelle à l'auteur avant qu'Hébert change d'idée. Quand je raccrochai le téléphone et que je vis mon boss s'en venir vers moi, les mâchoires contractées comme chaque fois que quelque chose le préoccupait, je n'aurais pas donné cher du manuscrit de Duguay et de sa publication. Mais je connaissais encore mal Hébert. Malgré les réserves qu'un manuscrit pouvait lui inspirer, il n'en tenait plus compte dès que sa décision de l'éditer était prise. Tous les manuscrits avaient alors quelque chose de génial et devaient, publicitairement parlant, être traités comme tel. En ce domaine, Hébert était d'une imagination galopante et d'une grande exigence. Personne ne savait faire comme lui un événement avec les mots des autres. Alors que je croyais qu'il voulait retirer sa parole concernant le *Manifeste de l'Infonie*, Hébert me dit plutôt :

« Pour le lancement du livre de Duguay, pourquoi pas un concert en plein air ? Si on publiait le livre en septembre prochain, on pourrait profiter du beau temps de la fin de l'été, sur un bateau fendant les eaux du fleuve, par exemple. Qu'en penses-tu ? »

Quand Hébert s'emballait ainsi, même les délais nécessaires à la publication d'un ouvrage ne tenaient plus. Ce qu'on aurait dû mettre trois mois à préparer devait se faire en trois semaines, quitte à bousculer tout le monde afin d'y arriver. Hébert n'arrêtait plus de passer des coups de fil, il insultait les imprimeurs et ameutait les journalistes, réussissant toujours à les convaincre qu'un chef-d'œuvre s'en venait, qui bouleverserait toutes les données de l'édition québécoise. Je me demandais comment il faisait pour être aussi convaincant, lui qui ne lisait souvent les manuscrits que superficiellement, surtout s'ils n'étaient que littéraires. Si l'auteur ne s'appelait pas Roch Carrier ou Marie-Claire Blais, Hébert s'en remettait volontiers aux décisions du comité de lecture. Quand les lecteurs de la maison ne recommandaient pas la publication d'un ouvrage, il ne s'opposait jamais à leur avis, à moins que son auteur ne fasse véritablement partie de l'écurie du Jour. Il en devenait de ce seul fait intouchable même si ses livres ne valaient pas tripette, tels ceux de Jean-Claude Clari ou ceux de Claire de Lamirande qui apprêtaient leurs romans à la sauce Harlequin, et sans grand bonheur faut-il ajouter. Si le comité de lecture ne recommandait pas la publication de l'un de leurs manuscrits, Hébert répondait ainsi aux arguments que je lui apportais :

« J'aime autant que les auteurs de la maison expient leurs péchés chez nous plutôt qu'ailleurs. Et puis, on ne sait jamais : s'ils devaient écrire un chef-d'œuvre et le faire publier chez un concurrent, de quoi aurions-nous l'air ? »

Cette partie-là des choses n'étant pas sa tasse de café, Hébert prenait tout son plaisir à préparer de spectaculaires lancements. Celui du *Manifeste de l'Infonie* fut sûrement le plus baroque de tous. Il eut lieu sur la scène du Gesù, avec trente-trois secrétaires assises devant leurs machines à écrire et tapant à doigts raccourcis cette partition imaginée par Duguay et qu'il conduisait, monté sur un podium, vêtu de la longue robe des infoniaques, la baguette de la Fée des étoiles à la main ! Hébert ne resta pas très longtemps au lancement, apeuré sans doute par la faune bigarrée qui avait envahi le Gesù, se défonçant aux hallucinogènes dans des odeurs de pot dignes des romans de Ken Kesey. Duguay lui-même flottait dans sa bulle de mescaline, au point qu'il finira par ne plus savoir s'il avait rêvé ce lancement au Gesù ou s'il l'avait vraiment vécu ! Cela ne changea toutefois rien au succès du *Manifeste de l'Infonie* puisque pas moins de sept mille exemplaires en furent vendus en quelques mois seulement.

Duguay devint ainsi la jeune star des Éditions du Jour et, pour moi, un ami à qui je suis resté fidèle malgré les trente-cinq ans de vie souvent cahoteuse que, chacun de son bord, nous avons dû assumer. J'aimais chez Duguay sa folle énergie créatrice, ses lumineuses jongleries avec le symbolisme, son grand talent pour l'effronterie, la provocation et la liberté. Quand j'allais lui rendre visite à sa maison de Saint-Armand, c'était comme si j'avais fait partie d'un étrange film, à mille milles de ce que pouvait être ma vie ordinaire : nu comme un ver, Duguay installait des clochettes au sommet d'un arbre ou bien modelait une énorme sculpture avec des centaines de canettes de bière, trois cent trente-trois plus exactement puisque, dans le monde infoniaque, seuls le *trois* et ses multiples avaient droit de cité.

C'est ainsi que Duguay et moi, nous eûmes l'idée d'écrire à quatre mains un roman devant comporter trente-trois personnages et trente-trois chapitres de trois mille trois cent trente-trois mots chacun. Je devais commencer l'histoire, puis Duguay prendrait le témoin pour un deuxième chapitre, et le livre se ferait ainsi, voyageant de l'un à l'autre jusqu'au mot ultime. J'avais une certaine expérience dans ce type d'écriture, l'ayant pratiqué entre autres avec le journaliste Guy Lessonnini. J'avais aussi écrit au moins un roman pour ainsi dire à partir de rien, d'une simple phrase dite par un oncle de ma femme alors que, saoul, il ne faisait que répéter : « J'me d'mande ben pourquoi y riaient toutes de moi parce que j'faisais entrer mon joual dans ma maison. » J'avais transcrit cette phrase-là sur le papier et imaginé l'histoire de *La Nuitte de Malcomm Hudd* à partir d'elle seule.

J'écrivis donc un premier chapitre qui ne se rendit jamais jusqu'à Duguay, trop engagé qu'il était dans l'aventure de L'Infonie, du cinéma et du spectacle pour avoir le temps de marteler les mots autrement qu'en chansons. Bien que déçu, je n'en continuai pas moins à faire venir au monde *Don Quichotte de la Démanche* et ses trente-trois chapitres. Si le premier comptait les trois mille trois cent trente-trois mots si chers à Duguay, j'abandonnai bien vite cette contrainte, emporté par les seules exigences de ma propre pensée. Sans Duguay, sans doute n'aurais-je jamais porté à ses grosseurs la vie d'Abel Beauchemin, ce jeune intellectuel du début des années soixante-dix, piégé par le pays non advenu, la famille, les amours impossibles, l'alcoolisme et l'hystérie. Sans Duguay aussi, je me serais probablement moins intéressé à Jack Kérouac, en tout cas pas suffisamment pour entreprendre un ouvrage sur lui, ses origines canadiennes-françaises et sa difficile intégration à l'Amérique saxonne. J'appelai essai-poulet mon petit livre, ce qui donna encore à Jacques Hébert l'idée d'un lancement pas comme les autres. Il le fit commanditer par les Rôtisseries Saint-Hubert, forçant les amateurs de Kérouac à repartir chez eux munis de l'une de ces petites boîtes décorées d'images de coq et dans lesquelles avait été glissé mon ouvrage, à côté d'une patte de poulet et d'une salade de chou !

Tous les auteurs n'avaient pas droit à de tels privilèges, d'abord parce que les lancements se succédaient à un rythme affolant et qu'on manquait de monde pour en faire toujours des événements. Il y avait aussi le fait que certains ouvrages, même littéraires, pouvaient prêter à controverse et qu'Hébert, pourtant si libertaire politiquement, ne tenait pas à courir au-devant des coups. *Le Ciel de Québec* de Jacques Ferron fut l'un d'eux. Le manuscrit avait été refusé par Claude Hurtubise chez HMH prétendument par crainte de poursuites judiciaires contre l'auteur et son éditeur, Ferron y malmenant Saint-Denys-Garneau, Jean Lemoyne, Gilles Marcotte, Paul-Émile Borduas et tous ceux-là qui avaient participé de près ou de loin au mouvement littéraire de *La Relève*. Ferron les peignait sous les traits de fieffés énergumènes prenant volontiers leur vessie pour une lanterne. C'était à tout le moins irrévérencieux, surtout dans ces passages où la biographie vraie se mêlait aux énormités de l'imagination ferronnienne. Quand il apporta son manuscrit à Jacques Hébert, Ferron ne lui cacha pas le refus d'Hurtubise ni les raisons qui l'avaient déterminé. Même s'il avait publié les *Historiettes*, Hébert n'était pas encore certain du talent de Ferron comme romancier. Je crois qu'il avait surtout peur de sa subtile ironie, dont il ne comprenait pas toujours les tenants et les aboutissants, ce qui le rendait méfiant à l'endroit d'un polémiste capable de s'attaquer à tout, même à son éditeur.

Quoi qu'il en soit, Hébert me remit le manuscrit de Ferron et je l'apportai chez moi pour le lire. J'y passai toute une soirée et toute une nuit, conscient que j'avais sous les yeux l'une de ces œuvres par lesquelles se fonde une littérature nationale. Le chapitre sur les broncos sauvages de Cotnoir envahissant de nuit l'église de Sainte-Catherine-de-Fossambault et celui sur la capitainesse du village métis des Chiquettes sont de grands moments, pas seulement de la littérature québécoise mais de celle du monde entier. Le lendemain matin, je le dis à Hébert qui en douta bien un peu, s'imaginant que mon enthousiasme pour ces passages du *Ciel de Québec* visait à faire oublier ce que Ferron y avait écrit sur le petit monde de *La Relève*. Je demandai à Hébert de prendre connaissance des paragraphes les plus outrés pour qu'il puisse juger par lui-même qu'il n'y avait pas là matière incriminante, à peine de quoi faire naître un brin de controverse et de polémique. Hébert préféra plutôt téléphoner à Claude Hurtubise qui lui avoua avoir refusé le manuscrit de Jacques Ferron parce que les gens de *La Relève* étaient tous ses amis et qu'il ne voulait pas leur porter déplaisir. S'il avait parlé d'éventuelles poursuites judiciaires à Jacques Ferron, c'était pour lui rendre plus acceptable la non-publication chez HMH de son manuscrit.

C'est à cause de ce refus-là d'Hurtubise que Ferron devint vraiment un auteur des Éditions du Jour et qu'il resta fidèle à la maison tant que j'y travaillai. Je regretterai toujours de ne pas avoir su faire un événement avec le lancement du *Ciel de Québec*. Ce jour-là, il ne vint pas beaucoup de monde rue Saint-Denis, de vieux comparses de Ferron comme Frank Scott et Robert Cliche, le critique Jean-Marcel Paquette, que sa perruque mal amanchée faisait ressembler à un moine libidineux du Moyen Âge, et quelques membres de la propre famille de Jacques Hébert appelés à la dernière minute pour faire tapisserie. À part Duguay, pas un seul des jeunes auteurs du Jour ne se présenta au cocktail et j'en fus assez fâché pour le signifier, plutôt vertement, à quelques-uns d'entre eux qui auraient eu intérêt à fréquenter l'écriture ferronnienne plutôt que celle des rescapés du prétendu nouveau roman français. Le cocktail pour *Le Ciel de Québec* terminé, je restai dans la salle désertée, essayant de remonter de ma déception en pensant à Gaston Miron et à Hubert Aquin qui, bien qu'arrivés sur le tard au lancement, avaient su conforter un Ferron lui aussi désappointé.

Le Ciel de Québec mit du temps à trouver ses lecteurs. C'était un livre trop exigeant pour les demi-civilisés que nous étions encore, amateurs de bluettes anecdotiques et dénuées de toute réflexion politique. Comme l'avait dit Joyce à la parution de son *Ulysse* que le public bouda :

Pour que le monde puisse comprendre, il lui faudrait d'abord apprendre à lire. Et pas seulement les lignes imprimées, mais ce blanc *mystérieux qui les relie les unes aux autres !*

Il arrive toutefois qu'un livre sur lequel on ne miserait pas la plus fatiguée de ses chemises devienne presque malgré lui un best-seller. Si j'ai vécu cette expérience quelques fois avec Jacques Hébert, ce fut rien à côté du succès tout à fait imprévu qu'obtint la réédition des *Relations des Jésuites*. J'avais acheté chez William Wolfe, mon pourvoyeur en vieux ouvrages, les trois tomes des *Relations* publiés en 1858 à Québec, près de l'archevêché, chez Augustin Côté, éditeur-imprimeur, et, question de sortir de l'ennui d'un long week-end pluvieux, je m'étais tapé en quatre jours les deux mille pages, d'une typographie très serrée, que comptaient les *Dicts* des pères fondateurs de l'Église québécoise. J'étais entré là-dedans comme quand on ne veut pas lire vraiment, par simple besoin de trouver, au hasard d'une page, une image susceptible de garder réveillés l'homme et sa fiancée, comme l'écrit si joliment Pierre Foglia. Je butai tout de suite sur ce langage ancien, si proche de celui de Rabelais, alors qu'on ne faisait véritablement pas encore de différence entre la langue qui se parlait et celle qui s'écrivait. Ce fut la première leçon de choses qui me vint de ma lecture : bien que français, les pères jésuites n'avaient pas mis de temps à s'acclimater au Nouveau Monde, à faire corps avec le vocabulaire amérindien, si riche pour exprimer la métaphore. C'étaient aussi de fameux géographes, de précieux ethnologues et de sagaces observateurs de la réalité quotidienne. J'appris dans leurs *Relations* bien plus que dans n'importe quel manuel d'histoire : la richesse d'esprit des peuples amérindiens, les beautés de la flore et de la faune, le pourquoi des guerres iroquoises et ces odyssées que furent la découverte de la mer du Nord, l'entrée en pays papinachois ou dans la nation du Chat.

Ce fut pour moi une véritable épiphanie et, comme toutes les fois que la chose m'arrivait, je n'eus rien de plus pressé à faire, ma lecture terminée, que de monter dans ma machine et de filer tout droit vers la rue Saint-Denis. J'entrai dans le bureau d'Hébert, mis les trois gros tomes des *Relations des Jésuites* sur son pupitre et lui dis :

« Voilà ce qu'il faut publier maintenant ! »

À mon grand étonnement, Hébert s'enthousiasma presque aussitôt pour le projet. Ce n'était pas un homme fait pour la routine. Publier des livres qui n'étaient que des ouvrages s'ajoutant les uns aux autres, mais sans laisser beaucoup de traces, même éphémères, l'ennuyait plus qu'il ne voulait l'admettre lui-même. Pour se stimuler dans son métier d'éditeur, il lui fallait de temps à autre se colletailler avec quelque chose de difficilement faisable. La publication des *Relations* fut l'un de ces défis comme Hébert les aimait. Il fallait le voir s'agiter au téléphone et tout virer à l'envers partout, dans une frénésie presque adolescente, pour en croire ses yeux et ses oreilles. J'admirais ce Jacques Hébert là, audacieux et imaginatif, capable de dessiner un ensemble et de fignoler en même temps le moindre détail. Les *Relations* furent publiées en six gros volumes, dans un superbe boîtier reproduisant une carte ancienne du Québec. L'impression à elle seule coûta cinquante mille dollars, ce qui était une somme considérable en 1972.

Pendant la fabrication de l'ouvrage, Hébert dut s'absenter souvent des éditions afin d'aller porter aux quatre coins de la planète la bonne nouvelle de son Jeunesse Canada Monde enfin devenu réalité grâce au gouvernement fédéral. Débordé par la besogne à faire, j'eus enfin droit à l'assistance de l'écrivaine Michèle Mailhot chargée de coordonner l'édition des *Relations*. Elle révisa soigneusement les épreuves, vérifia les pages montées, s'occupa des exigences du préfacier, le père Giguère, un jésuite qui avait passé sa vie à se trémousser dans les archives de la Compagnie de Jésus, ce qui l'autorisait à vouloir faire de son texte un ouvrage en soi. Sans jamais en perdre le calme qui l'habitait, Michèle Mailhot réussit à rendre dans ses grosseurs et dans le temps prévu l'œuvre la plus ambitieuse jamais publiée par Hébert. Quand il rentra d'Afrique, ce fut pour organiser un lancement comme lui seul savait les faire. L'édition des *Relations* fit la manchette des nouvelles télévisées et radiophoniques, avec un Jacques Hébert exubérant et prenant toute la place. Le père Giguère en fut un brin mortifié et moi frustré parce que Hébert avait mal appris sa leçon et, pendant les entrevues qu'il avait accordées, fait plein d'erreurs sur l'ouvrage publié, y compris sur la date de la première parution des *Relations* !

Ça n'empêcha pas les trois mille exemplaires de la réédition des *Relations* de se vendre comme de petits pains chauds malgré qu'il en coûtât soixante-cinq dollars pour se procurer les six volumes. Un deuxième tirage de trois mille exemplaires fut aussi rapidement épuisé que le premier, du jamais vu dans l'édition québécoise pour ce genre de livre. Directeur des Éditions du Boréal-express qui se spécialisaient dans les livres d'histoire, Denis Vaugeois nous fit même parvenir une lettre de félicitations dont la fin toutefois nous rendit hilares, Hébert et moi. C'est que Vaugeois nous faisait part de son regret de voir publier les *Relations* au Jour plutôt que dans sa maison qui seule, selon son dire, aurait eu le droit et la compétence de s'attaquer à un projet aussi important !

Le lancement des *Relations des Jésuites* fut un grand moment pour moi, pas seulement parce que j'étais fier de la besogne accomplie, mais aussi parce qu'il me permit de revoir Suzanne Brillant, la femme la plus étonnante que j'aie jamais rencontrée. Le père Jules Brillant avait fait fortune à Rimouski dans l'hydroélectricité, ce qui lui avait permis de se constituer en empire pour occuper tous les champs de la vie économique. Ses enfants étaient millionnaires mais peu intéressés aux affaires, en tout cas celles qui demandent qu'on y investisse beaucoup de temps. Jacques, l'un des fils Brillant, rêvait d'écrire des romans et se faisait la main aux Éditions du Jour en signant de petits ouvrages politiques sous le pseudonyme de Jabry. Il écrivait aussi de la poésie qu'il publiait à compte d'auteur et somptueusement comme en fait foi le colophon que l'on trouve à la fin du *Jardin de nuit* paru alors qu'il habitait Monaco. Je ne peux résister à l'envie de reproduire ici ce colophon parce qu'il est un poème en soi et sûrement le plus fier-pet qu'il m'ait été donné de lire depuis que je suis éditeur et collectionneur :

CE LIVRE

« le jardin de nuit »

est un poème de jabry / calligraphié de la main de l'auteur / illustré à l'encre de chine par maître dômoto inshô / édité par les soins de vincent pouliot / avec la collaboration technique du typographe sasaki / imprimé au moyen de clichés en gélatine bichromatée aux ateliers de collotypie chez henridô de kyôto / sur papier japon fabriqué à la main avec la fibre du broussonetia papyfera par les artisans des papeteries iwano de fukui / tiré à mille exemplaires seulement / quatre exemplaires étant mis hors commerce pour être gracieusement présentés à la maison impériale du japon / deux étant marqués des initiales S. M. I. en hommage de respect à

S A M A J E S T É I M P É R I A L E

et deux autres portant comme marque S.A.I. en témoignage de louange à

S O N A L T E S S E I M P É R I A L E

pour la naissance d'un prince héritier / les neuf cent quatre-vingt-quinze autres exemplaires sont numérotés de 5 à 1000 / les gravures sur bois des pages de garde et des trois volets de l'étui triptyque sont des reproductions de peintures de maître dômoto exécutées par le xylographe tokuriki de kyôto / le tissu recouvrant les plats a été fait et teint à la main d'après les suggestions et un dessin de maître dômoto / la reliure avec ses plats et son étui triptyque a été exécutée chez kyôshinsha / l'appendicule hors texte inséré dans la pochette du carton donne le texte imprimé du poème avec sa transposition en japonais poétique par tetsuzô abé / achevé d'imprimer le 23 février 1960 / publié sous les auspices de la société culturelle ameuroasie / tous droits réservés ottawa 1960 /

Jacques Brillant étant aussi actionnaire des Éditions du Jour, il venait parfois y faire son tour quand Sa Majesté Impériale du Japon n'avait plus besoin de lui à Tokyo ou que la principauté de Monaco pouvait se passer de ses services. C'est ainsi qu'il assista à l'un de mes lancements, accompagné par sa sœur Suzanne. Elle avait épousé un milliardaire américain dont elle avait divorcé et habitait à Westmount, dans une manière de château juste à côté de celui des Bronfman. Je lui tombai dans l'œil au point qu'elle m'invita à souper chez elle. N'ayant jamais mis les pieds à Westmount, je lui demandai par où passer pour m'y rendre. Elle me dit :

« Ne vous en faites pas avec ça. J'envoie quelqu'un vous chercher à huit heures. Où demeurez-vous ? »

J'avais alors ma chambre dans ce *tourist rooms* de la rue Saint-Denis et ne tenais pas vraiment à ce qu'un chauffeur en livrée vienne frapper à ma porte. Je prétextai donc un travail urgent à terminer aux bureaux du Jour et demandai que le chauffeur en soit avisé. Il arriva à l'heure dite, mais conduire une limousine n'était pas son vrai métier. C'était un comptable-administrateur, chargé d'affaires pour la famille Brillant. Quand j'entrai dans la maison de Suzanne Brillant, les bras faillirent m'en tomber en voyant le fameux *Groupe des douze* sculpté par Napoléon Bourassa. Il y avait des Krieghoff partout et des tas d'autres peintures éclairées par de petites lampes qui s'allumaient toutes seules quand on passait devant elles. J'étais comme à mille milles de mon *tourist rooms* et, malgré la gentillesse de Suzanne Brillant, je restai assis les fesses serrées tout le temps que dura le repas. Après, nous fîmes ensemble la tournée des grands ducs, que nous finîmes à L'Enfer, une boîte de la rue Crescent. Il y eut quelques autres soirées comme celle-là, fort plaisantes à vivre bien que je me demandais toujours ce que Suzanne Brillant attendait véritablement de moi. Quand elle m'offrit d'habiter avec elle et de pourvoir à tous mes besoins pour que je puisse me consacrer totalement à l'écriture, ma réponse négative la déçut et elle disparut de ma vie comme elle y était entrée, telle une étoile filante. Si j'avais su ce qui s'en venait pour moi aux Éditions du Jour, aurais-je réagi différemment ? Je n'en sais encore rien aujourd'hui, mais toutes les fois qu'il m'arrive d'y penser, l'horrible travailleur que j'ai toujours été en a pour quelques heures à s'épailler dans la nostalgie. Le temps que j'en remonte et la suite du monde viendra toute seule au-devant de moi, bouleversant encore une fois les données de ma vie. Voyons voir ça maintenant de plus près.

Six

En 1973, les Éditions du Jour ne ressemblaient plus guère à ce qu'elles étaient quand Hébert m'y avait embauché. On y publiait une cinquantaine d'ouvrages par année – une bonne partie de la jeune littérature québécoise, de Paul Villeneuve à Yvon Paré, de Gilbert La Rocque à Louis Geoffroy. De nombreux livres pratiques venaient encadrer cette ébullition, ceux de la gastronome Germaine Gloutnez, ceux de sœur Berthe et ceux de Jean-Marc Brunet devenu très ami avec Jacques Hébert depuis que celui-ci s'était mis au régime du jus de carotte, des radis noirs et du germe de blé. Vues de l'extérieur, les Éditions du Jour avaient l'air de se porter admirablement bien, ce qui était loin d'être le cas, car, à cause d'une circonstance vraiment inattendue, le voile du temple de l'édition québécoise s'était déchiré, et ce ne fut guère avantageux pour la maison de la rue Saint-Denis.

Jusque-là, l'éditeur français Robert Laffont faisait vendre ses livres au Québec par l'Agence de distribution populaire dont le propriétaire, Pierre Lespérance, était aussi celui des Éditions de l'Homme que dirigeait Alain Stanké. Durant l'un de ses voyages d'affaires au Québec, Robert Laffont eut le coup de foudre pour la femme de Stanké qui, follement amoureuse elle aussi, décida de le suivre à Paris. Laffont n'eut donc pas le choix de se trouver un autre distributeur au Québec. Le Jour ayant son propre service de messageries, Hébert persuada Laffont de lui confier la gestion et la circulation de ses stocks pour le Québec. Ce n'était pas une seule raison d'affaires pour Hébert : il avait fondé les Éditions de l'Homme en 1958, avait dû les céder en 1961 et en avait gardé une crotte sur le cœur. De faire ainsi la nique à un concurrent qu'il n'aimait pas beaucoup le rendit plus aventureux qu'il n'aurait dû l'être. Laffont était une énorme maison dont le catalogue comptait plusieurs centaines de titres. Le soubassement de la rue Saint-Denis, quartier général des Messageries et leur entrepôt, étant déjà trop petit pour les seules Éditions du Jour, il fallut donc trouver un local plus grand, qu'on dénicha rue Durocher, et engager des frais considérables que Jacques Brillant, le bailleur de fonds de la maison, n'était pas en mesure de couvrir. La Fédération des caisses d'économie devint le nouvel associé d'Hébert, et ce fut le commencement de la fin, le gouffre financier creusé par la mise en place de la distribution des livres de Laffont devenant vite impossible à combler.

Claude Béland était le directeur de la Fédération des caisses d'économie. Il s'y connaissait autant dans l'édition que moi dans l'élevage des cochons, mais la suffisance qui lui rembourrait le collier lui faisait croire qu'il était né avec un livre à la main. Il faut que je dise toutefois qu'Hébert ne l'aidait guère dans son apprentissage, trop souvent en train de courir la galipote de par le vaste monde pour Jeunesse Canada Monde. Lorsqu'il rentrait de ses voyages, j'avais moi-même de la difficulté à m'asseoir ne serait-ce que deux heures avec lui afin de discuter de tous ces projets d'édition que je recevais mais que je n'étais pas autorisé à accepter de mon propre chef. Je trouvais qu'Hébert avait beaucoup changé. Il avait perdu la curiosité qui l'avait toujours animé jusqu'alors, il ne lisait plus guère les manuscrits dont le comité de lecture recommandait la publication et il était malheureux du fait que sa femme, se prenant pour Jeanne Mance, essayait presque désespérément de sauver Patrick Straram de sa descente éthylique aux enfers. Il y avait aussi cette effervescence politique qui, de 1969 à 1973, avait mené le Québec du terrorisme à la répression et du RIN au Parti Québécois. Comme éditeur, Hébert s'était toujours tenu sur la clôture, publiant aussi bien les ténors du fédéralisme que les farouches partisans de l'indépendance du Québec, dont René Lévesque lui-même. En septembre 1970, le Jour avait vendu quatre-vingt-dix mille exemplaires de *La Solution*, un petit livre écrit par le chef du Parti Québécois. Une vague de fond semblait vouloir entraîner les Québécois vers la création d'un pays où ils seraient enfin maîtres de déterminer leur histoire et leur culture. Tôt ou tard, Hébert savait bien qu'il devrait afficher ses convictions fédéralistes et son mépris pour le nationalisme.

Il y eut d'abord la crise d'octobre 1970, qui fut un dur coup pour lui. Comme président de la Ligue des droits de l'homme, il se retrouvait pour ainsi dire coincé entre l'arbre et l'écorce, son amitié indéfectible pour Pierre Elliott Trudeau, Gérard Pelletier et Jean Marchand s'opposant à l'idée qu'il se faisait de lui-même, celle d'être un honnête homme évoluant au-dessus de la partisanerie politique. La montée du terrorisme québécois, les enlèvements de James Cross et de Pierre Laporte, puis la mort de celui-ci, ébranlèrent le démocrate que prétendait être Hébert. Il faut avoir vécu comme moi la chose de l'intérieur pour savoir jusqu'à quel point les agissements du FLQ avaient rendu hystériques les fédéralistes montréalais, au point de faire de leur raison une véritable auberge espagnole. Imaginez! Même Jacques Hébert croyait dur comme fer les sornettes dont Jean Drapeau et Jean Marchand remplissaient leurs discours : trois mille terroristes, entraînés et armés par les méchants Palestiniens, avaient envahi Montréal pour mettre la ville à feu et à sang au nom de l'idéologie marxiste-léniniste. Aux lancements des Éditions du Jour, le ton montait entre indépendantistes et fédéralistes. Hébert y était souvent pris à partie et de plus en plus violemment par les nombreux sympathisants du FLQ qui fréquentaient la maison. Dès qu'il en avait l'occasion, il filait à l'anglaise, me laissant le soin de ses invités.

Parce que j'avais été membre du RIN, que j'avais marché dans Montréal en compagnie de Michel Chartrand et de Gaston Miron contre le règlement antimanifestation de Jean Drapeau, que j'en avais fait autant contre le bill 63 et que j'écrivais des textes qu'on jugeait radicaux, on croyait que je pouvais me servir des bureaux des Éditions du Jour pour venir en aide aux felquistes. Hébert me prévint lui-même que la GRC avait mis les téléphones du Jour sur écoute électronique et qu'il valait mieux pour moi de m'y faire discret si je voulais éviter les ennuis. Je ne fus donc pas étonné quand je reçus la visite des agents de la GRC courant, prétendaient-ils, après un auteur et un manuscrit incendiaire qu'il avait dû me soumettre ! C'était un prétexte si farfelu pour simplement m'interroger que j'en tombai de mon fauteuil. D'autres enquêteurs vinrent me voir chez moi parce que l'absence de mon voisin les inquiétait. En fait, ça les taraudait tellement qu'ils ne parurent même pas voir la petite pile que faisaient les exemplaires du *Manifeste du FLQ* sur la table au beau milieu de mon salon !

Interviewé par un journaliste de la revue *L'Express* de Paris, j'avais donné libre cours à mon sentiment nationaliste et parlé plutôt crûment contre Pierre Elliott Trudeau. Quand la revue parut, avec la photo de Trudeau sur la une que coiffait la manchette « Le sang de l'otage », j'en achetai un exemplaire que j'affichai en belle place sur un mur de mon bureau, sous la bande-annonce célébrant les quatre-vingt-dix mille exemplaires vendus de *La Solution* de René Lévesque. Pour moi, le symbolisme de ma mise en scène était clair : d'un côté, l'arrogance de Trudeau prenant prétexte des agissements du FLQ pour liquider la menace séparatiste et, de l'autre, la volonté de tout un peuple aspirant à son indépendance. Lorsque Hébert vint dans mon bureau et vit mon petit montage, il ne me dit d'abord rien, comme s'il ne s'était pas aperçu de ce que j'avais fait. Quelques semaines passèrent, pendant lesquelles Hébert ne se présenta pas une seule autre fois à mon bureau. S'il avait besoin de discuter avec moi, il me demandait d'aller le rejoindre dans le sien. Je voyais bien qu'il n'était pas dans son assiette et que quelque chose le chicotait, dont il n'osait pas me parler. N'étant pas de ceux qui aiment prendre les devants pour rien, je me tins sur mon quant-à-moi, attendant que Jacques Hébert me fasse enfin part de ce qui le tracassait.

Ça arriva après un lancement durant lequel Hébert dut boire quelques whiskys pour résister aux vitupérations de Gaston Miron et de quelques autres poètes que Trudeau avait fait mettre en prison après qu'on eut découvert le corps de Pierre Laporte dans le coffre arrière d'une voiture à Saint-Hubert. Miron reprochait à Hébert, toujours président de la Ligue des droits de l'homme, de s'être réfugié dans le mutisme plutôt que d'avoir dénoncé, comme il aurait pu en être capable, l'application de la Loi dite des mesures de guerre. Ce soir-là, on accusa Hébert d'être un traître, un infâme réactionnaire, un démocrate à petits pieds, un parvenu et un vendu. Je trouvai que mon camarade Miron et la bande qui l'accompagnait y allaient un peu fort en faisant d'Hébert l'ennemi numéro un de la cause indépendantiste, mais le radicalisme que je pratiquais alors m'empêchait de rabrouer ceux qui, au contraire de moi, avaient, bien qu'innocents, passé plusieurs semaines en prison. Ça leur donnait au moins le droit de crier leur mépris pour des politiciens qui avaient fait une caricature de notre démocratie.

Je m'étais éclipsé avant la fin du lancement, heureux de retrouver le calme de mon bureau et d'y écrire quelques paragraphes du roman que j'avais alors en chantier et dont l'intrigue avait comme toile de fond les événements terroristes d'octobre. En relevant la tête, je fus surpris de voir Hébert sur le seuil de la porte de mon bureau. Il avait les yeux rouges de quelqu'un qui a pleuré et c'est la voix étranglée par l'émotion qu'il me demanda, au nom de la grande amitié qu'il portait à Trudeau, d'enlever de mon mur la une de *L'Express* ! Je crois bien qu'il m'en a voulu de ne pas répondre sur-le-champ à sa demande et d'avoir profité de sa vulnérabilité pour abîmer de bêtises un politicien que j'aguissais viscéralement.

Lorsque les Chevaliers de l'indépendance, dirigés par le boxeur Reggie Chartrand, occupèrent les bureaux des Éditions du Jour parce qu'ils trouvaient que la Ligue des droits de l'homme ne parlait pas suffisamment des prisonniers politiques et de leurs conditions de détention, Hébert crut aux dires de mes informateurs selon lesquels l'idée venait de moi. Je n'y étais évidemment pour rien, ce qui ne fut pas le cas d'un placard que je fis paraître dans *Le Devoir* en février 1972. Dans la foulée de la crise d'Octobre, plusieurs intellectuels avaient créé le Front des écrivains québécois, un organisme qui se promettait d'être très actif, particulièrement dans la critique de nos institutions politiques. Bien que le grand vicaire du FREQ fût Jacques Godbout, sa fondation ne changea pas grand-chose dans les rapports que les écrivains entretenaient avec les pouvoirs publics. C'était ceux de quêteux même pas à cheval, qui voyaient en René Lévesque le héros d'une odyssée dont on ne devait jamais remettre en cause les gestes. En février 1972, les employés de *La Presse* étaient en grève. Avec l'appui des syndicats, ils organisèrent une marche de protestation dans le centre-ville de Montréal. Par souci électoraliste, René Lévesque changea son fusil d'épaule à la dernière minute et ne fut pas de la manifestation, pas plus que le FREQ d'ailleurs. Pour rire des deux, je fis passer une grande annonce dans *Le Devoir*, prétendument signée par une cinquantaine d'écrivains québécois du FREQ, déclarant que, déçus de René Lévesque, ils retiraient au Parti Québécois leur appui jusqu'alors inconditionnel pour le donner… aux créditistes de Réal Caouette ! Parmi les signataires du fameux placard figuraient aussi bien des péquistes irréductibles comme Gaston Miron, Jacques Ferron et Michel Garneau que des fédéralistes enragés comme Roger Lemelin, Naïm Kattan et Jacques Hébert !

Le placard parut en bonne place dans l'édition du samedi du *Devoir*, sous un long article consacré comme par hasard aux créditistes. Avant d'être dénoncé par Michel Roy, le rédacteur en chef adjoint, le canular eut le temps de faire les manchettes de la presse télévisée et radiophonique, ce qui rendit furieux les prétendus signataires de l'annonce. Roger Lemelin menaça *Le Devoir* de poursuites devant les tribunaux et un Jacques Ferron furieux se présenta au bureau de Claude Ryan, muni d'une lettre qu'il renonça à voir publier quand on l'informa de la supercherie. Le grand vicaire du FREQ, dont on n'entendit plus parler par la suite, mit longtemps à me pardonner ce joyeux canular. Hébert n'aima pas vraiment lui non plus, et d'autant moins que je m'étais servi des Éditions du

Jour, glissant mon placard entre deux annonces à publier, pour arriver à mes fins.

En 1972, la paranoïa venue du terrorisme et de la mort de Pierre Laporte était plus que jamais vivante chez les fédéralistes, la cote de popularité du Parti Québécois grimpant constamment dans les sondages, ce qui ne faisait que jeter de l'huile sur le feu. Les ténors libéraux s'acharnaient à mettre dans le même sac felquistes et péquistes. À les en croire, une prise éventuelle du pouvoir par le Parti Québécois se traduirait par un bain de sang à la grandeur du Québec. Le pire, c'est qu'ils arrivaient à convaincre la population du bien-fondé de leurs âneries. Quand Thérèse Casgrain, militante féministe et sénatrice, publia son autobiographie *Une femme parmi les hommes*, elle faillit ne pas se présenter à son lancement par peur que de méchants felquistes aient mis des bombes dans le soubassement des Éditions du Jour ! Durant le lancement, elle ne s'approcha pas de moi. Si j'avais les cheveux longs, portais la barbe et étais habillé d'une salopette, n'était-ce pas que j'étais marxiste-léniniste et donc certainement terroriste ?

Quand je m'en retournai chez moi après le lancement du livre de Thérèse Casgrain, rien n'allait plus vraiment entre Jacques Hébert et moi. Depuis la crise d'Octobre, Hébert jouait à la cachette avec moi et le comité de lecture. Certains livres publiés au Jour ne passaient plus entre nos mains, Jacques Hébert se chargeant de lire lui-même les manuscrits et de les faire parvenir directement à l'imprimeur. Ce fut le cas lorsque Gérard Pelletier fit éditer sa version de la crise d'Octobre : je ne fus même pas mis au courant de la parution imminente de son ouvrage. Je l'appris parce que le projet du carton d'invitation pour le lancement atterrit malencontreusement sur mon bureau plutôt que sur celui d'Hébert. Ce fut la même chose pour les ouvrages insipides mais fédéralistes de Jean Pellerin et, pis encore, pour ceux de Maurice Champagne. Ils n'étaient pas vraiment politiques ceux-là, parce que trop niaiseux pour avoir même cette prétention.

Une maison d'édition, c'est comme ce qui se passe partout ailleurs. Certains la fréquentent simplement parce qu'ils sont de fieffés arrivistes et qu'ils y voient une occasion pour eux de monter plus rapidement dans l'échelle sociale. Ce sont des téteux invétérés, capables de n'importe quoi pour parvenir à leurs fins. Quand les amis de l'éditeur occupent en plus les hauts postes politiques du pays, les petits poissons se font nombreux à vouloir être pêchés. J'aguissais profondément ce côté-là des choses, qui faisait d'Hébert un homme sans cesse sollicité, même par des gens qui le considéraient comme un ennemi quand ils me parlaient de lui. Hébert répondait à toutes les demandes du mieux qu'il pouvait et venait ainsi en aide à beaucoup de monde qui ne méritait pas le temps qu'il dépensait pour lui. Même de purs étrangers faisaient appel à Hébert quand ils se retrouvaient mal pris, tel l'éditeur français Yves Berger qui avait une petite amie de ce bord-ci de l'Atlantique, qu'il venait voir régulièrement, sa valise d'amoureux bourrée de cadeaux dont il ne déclarait pas toujours le contenu aux douaniers canadiens. C'est ainsi qu'on l'intercepta un jour à sa descente d'avion, avec une pochetée de bijoux qu'il n'avait pas pris la peine de faire enregistrer. Les douaniers menaçant de les lui saisir, que fit Berger ? Il téléphona à Hébert et lui demanda de recourir à Trudeau pour qu'il intervienne auprès des douaniers !

Le roi de tous ces téteux faisant la cour à Hébert fut sans conteste Maurice Champagne, alors un petit professeur de rien du tout et dont la suffisance était en équipollence avec une ambition qui lui aurait fait manger ses bas si cela s'était avéré nécessaire. Tout en visant à remplacer Hébert à la présidence de la Ligue des droits de l'homme, Champagne aspirait à être reconnu comme écrivain. Ses manuscrits faisaient l'unanimité auprès du comité de lecture, le style ampoulé et rose nanane sucé longtemps du Champagne de ces années-là étant carrément indigeste. Champagne se colla alors sur Hébert comme un pou sur le dos d'une baleine. Il trouvait même le moyen de le rencontrer, comme par hasard bien sûr, dans ce centre commercial de Beloeil où Hébert faisait ses courses le samedi matin ! Un tel harcèlement ne pouvait pas ne pas finir par être récompensé, et Champagne obtint enfin la présidence qu'il souhaitait et publia au Jour *Lettres d'amour à ma femme*, un livre si insignifiant qu'Hébert n'osa pas me le soumettre pour lecture. Je ne fus informé de la parution de l'ouvrage que le jour même du lancement. Bien que vide de toute substantifique moelle, le livre était de fort belle fabrication, Hébert en ayant exceptionnellement confié le design à l'un des meilleurs graphistes de Montréal, ce qui me paraissait encore plus inacceptable.

Je considérai cette parution-là comme une atteinte à ma liberté d'éditeur littéraire et comme une injure au comité de lecture de la maison. Je restai deux jours chez moi, à écrire une lettre que je voulais définitive sur le sujet. Quand je fus prêt à la présenter à Jacques Hébert, il était reparti en voyage au bout du monde. Je donnai mes doléances à lire au père Maassen, toujours secrétaire administratif du Jour, mais dépendant désormais non de Jacques Hébert, mais de Claude Béland de la Fédération des caisses d'économie. Maassen était aussi frustré que moi parce qu'il ne pouvait plus décider de rien, son rôle réduit à celui d'un consultant à qui on ne demandait par ailleurs presque jamais son avis. L'emprise de la Fédération sur le Jour allait très loin, comme c'est le cas quand on oblige un organisme à la tutelle. Un mercredi après-midi, je piquai une verte colère parce que, pour le lancement qui devait avoir lieu à dix-sept heures, le chargé d'affaires de la Fédération ne voulut pas émettre un chèque pour l'achat des alcools dont on avait besoin pour le cocktail. Je menaçai Me Béland d'annuler le lancement et d'en indiquer la raison par un grand panneau que je me proposais de mettre devant une porte barrée. Si j'eus gain de cause, je n'en devins pas pour autant un interlocuteur valable pour la Fédération : le Jour était devenu sa possession et on n'avait que faire d'un directeur littéraire qui attachait plus d'importance aux mots qu'à la rentabilité immédiate.

C'est dans ce climat malsain qu'eurent lieu les élections québécoises de 1973. Comme des milliers d'autres Montréalais, je me rendis au centre Paul-Sauvé, quartier général du

Parti Québécois, pour y suivre le dépouillement du scrutin. La campagne électorale s'était faite sous le signe de la saloperie et de l'intimidation, les fédéralistes se servant du terrorisme et de la crise d'Octobre pour apeurer une population encore traumatisée par la mort de Pierre Laporte. Une heure après la fermeture des bureaux de votation, la réélection des libéraux de Robert Bourassa était déjà chose assurée. Assis dans les gradins du centre Paul-Sauvé avec Michelle Rossignol, la grande actrice rousse de mon rêve indépendantiste, je ressentais comme nul autre ce sentiment de colère matachée de désespoir face à l'échec d'un projet national qui, pareil à une couleuvre, vous glissait des mains dès que vous pensiez le posséder enfin. Michelle Rossignol sortit de son sac une bouteille de tequila, et je me saoulai vraiment pour la première fois de ma vie. C'est à quatre pattes que je rentrai dans cette espèce d'aquarium que nous habitions rue Papineau, et c'est à quatre pattes aussi que je me rendis jusqu'aux toilettes pour y vomir tout mon désenchantement.

Quand je retombai sur mes pattes le lendemain matin, je laissai ma grande actrice rousse à son endormitoire, me fis un café que je bus en traversant le parc La Fontaine, puis je descendis la côte à Baron jusqu'aux Éditions du Jour. Hébert n'y étant pas, parti la veille pour Ottawa où il avait dû fêter avec Trudeau la défaite du Parti Québécois, je lui envoyai un télégramme dans lequel je lui annonçais ma démission comme directeur littéraire. Je ne me souviens plus des mots exacts que j'employai ce jour-là, mais ils rendaient compte de ma frustration :

si pendant cinq ans j'avais été pour les écrivains du Jour la conscience littéraire de Jacques Hébert, je n'avais eu aucune implication là où les choses comptent le plus, c'est-à-dire dans le choix des manuscrits politiques publiés par la maison, presque tous fédéralistes comme il se doit. L'innocent qui avait visité la Chine avec Trudeau l'était sûrement moins qu'il le prétendait lui-même. Mon radicalisme exacerbé par le triomphe des libéraux me forçait à penser que toute cohabitation avec les fédéralistes ne pouvait se faire qu'au détriment de l'idée même de l'indépendance. Il fallait désormais couper tous les ponts avec eux et les considérer comme des ennemis à abattre.

Voilà ce qui me détermina en 1973 à mettre fin à mon association avec Jacques Hébert. Mon télégramme à Ottawa envoyé, je fis le ménage de mon bureau, paquetai les petits qui m'appartenaient et partis avec. Hébert ne fit aucune tentative auprès de moi pour me ramener au Jour. L'aurait-il fait d'ailleurs qu'il n'aurait pas eu de réponse étant donné que j'avais quitté Montréal pour Paris. Deux de mes livres, *Jack Kerouac* et *Les Grands-pères*, allaient y paraître en même temps, dans deux maisons d'édition différentes, le premier à L'Herne et le second chez… Robert Laffont ! La publication de mon roman à sa maison n'avait toutefois pas grand-chose à voir avec la littérature, ce que je me ferai fort de démontrer lorsque ma pipe bourrée à neuf j'entrerai enfin dans le vif de ce sujet-là.

Sept

Dans ses mémoires d'éditeur, Paul Michaud, de l'Institut littéraire du Québec, a brossé un portrait plutôt sombre des relations culturelles entre la France et le Québec de l'après-guerre ; et ce portrait-là, vingt ans plus tard, n'avait encore rien perdu de sa triste réalité. Quand, en 1958, Grasset accepta de publier *Agaguk* d'Yves Thériault, ce fut sous la condition que Michaud paie lui-même les frais de l'édition française, de la diffusion et de la promotion. Convaincu que Thériault remporterait le prix Goncourt avec son ouvrage, Michaud s'embarqua dans une aventure qui faillit lui faire perdre sa dernière chemise. Dans sa naïveté, il n'avait pas compris que les éditeurs parisiens n'étaient pas intéressés à établir des rapports d'égalité avec leurs homologues de la francophonie. Pour eux, il n'existait pas de littérature étrangère de langue française. Un auteur belge, africain ou québécois, ça n'avait de sens que si on le publiait de Paris, que si on inscrivait son œuvre dans une collection française, quitte à gommer les origines sénégalaises ou nord-américaines dudit auteur. Si celui-ci acceptait de devenir bien malgré lui français, c'est qu'il souffrait du complexe d'infériorité typique du colonisé ou qu'il avait une ambition plus grande que la panse de son pays.

Les Français prirent donc l'habitude de considérer les pays francophones comme des pépinières qu'ils pouvaient écumer comme bon leur semblait. Plusieurs des meilleurs écrivains de la francophonie déménageaient leurs pénates à Paris, y devenant parfois plus chauvins que les Français eux-mêmes, comme je l'ai déjà dit de Gérald Robitaille qui fut longtemps à renier son appartenance québécoise et à dénigrer tout ce qui pouvait se faire de ce bord-ci de l'Atlantique.

C'est donc sur les relents du long passé colonialiste de la France que les éditeurs de Paris ont prospéré à l'étranger. Ils n'ont jamais été du genre à renvoyer l'ascenseur et, quand ça leur arrivait, c'est qu'ils avaient pipé les dés en leur faveur. Ce fut le cas lorsque Robert Laffont confia la distribution de ses livres à Jacques Hébert. Le Jour ne faisait pas que les distribuer, en tout cas pour les nouveautés que l'éditeur parisien mettait sur le marché. Un prétendu protocole de coédition régissait la publication de ces ouvrages-là. En fait, les Messageries achetaient cinq cents ou mille exemplaires d'un ouvrage, Laffont ajoutait le nom des Éditions du Jour sur la couverture, et le tour était joué. En cas de mévente, aucun retour des ouvrages à l'éditeur d'origine n'étant possible, Hébert devait payer entièrement les exemplaires commandés. Ce fut une expérience désastreuse, qui greva la trésorerie des Messageries et celle des Éditions du Jour. Dans l'espoir d'écouler les livres achetés, on faisait venir les auteurs de France, on les promenait partout au Québec, notamment dans les Salons du livre, on sollicitait pour eux des entrevues à la télévision, à la radio et dans les journaux. Et ces auteurs-là, qui ne présentaient souvent qu'un très relatif intérêt pour nous, étaient traités comme des dieux de l'écriture au détriment de nos propres écrivains, et des meilleurs parmi eux, qui durent se faire à l'idée qu'au royaume de la littérature ils se retrouveraient toujours en deuxième place, même chez eux.

Dois-je vraiment ajouter que c'est encore le cas aujourd'hui, puisque n'importe quel écrivailleur de France peut s'amener chez nous, particulièrement à l'occasion de Salons du livre, et avoir droit à une couverture médiatique comme s'il s'appelait Michel Tremblay ou Marie Laberge ? Créés pour promouvoir la littérature québécoise, les Salons du livre sont depuis longtemps contrôlés par les grands éditeurs et les grands distributeurs français, comme c'est aussi le cas pour les librairies : alors que le livre québécois représente soixante pour cent des ventes qu'on y fait, l'espace qu'il occupe y compte pour à peine vingt pour cent ! Que dirait-on d'une entreprise comme Provigo qui agirait de même façon que les libraires dans le choix des marchandises qu'elle met sur les tablettes de ses épiceries ? Le consommateur s'insurgerait bien vite, et avec raison. Pourquoi n'en va-t-il pas de même dans le cas des librairies ? Parce que nous sommes de fieffés aliénés et qu'il nous arrive d'en être fiers ! Pourquoi obligerions-nous les Français à la réciprocité alors que nous-mêmes nous sommes d'une telle inconséquence ?

Toujours est-il que, lorsque je débarquai à Paris en 1973, ma tournée des librairies du Quartier latin n'eut pas de quoi me rendre fier d'être écrivain québécois. Si j'y vis quelques exemplaires des *Grands-pères*, ce fut au rayon du folklore. C'est là l'un des grands défauts des Français à notre égard, ils sont incapables d'admettre que nous puissions être leurs contemporains. Si nous ne leur parlons pas de nos poétiques grands espaces et des Amérindiens porteurs d'oripeaux de caribou et de plumes, nous ne présentons aucun intérêt pour eux. C'était ainsi en 1973 et ça l'est encore aujourd'hui. À ce Printemps du Québec à Paris qui eut lieu en 1999, nous eûmes droit, au beau milieu du Salon du livre, à une cabane à sucre, au sirop d'érable, à la ceinture fléchée, aux carquois autochtones, aux orignaux et aux ours empaillés !

Je passai quinze jours à Paris. Je téléphonai chez Robert Laffont pour aviser son personnel que j'y étais mais, comme je m'y attendais, je n'eus pas de retour d'appel. Pour tout dire, Laffont ne croyait pas à la pertinence d'éditer en France ni mes *Grands-pères* ni *L'Amélanchier* de Jacques Ferron qu'il mit sur le marché en même temps que mon ouvrage. Le projet n'avait été réalisé que sur les instances de Jacques Hébert à cause des critiques remettant en cause les prétendues coéditions des livres de Laffont au Québec. Pourquoi ouvrait-on si facilement notre marché à l'édition française alors que cette dernière nous restait interdite ? Pourquoi déroulait-on ici le tapis rouge pour le plus plat scribouilleur de l'Hexagone tandis qu'en France on nous recevait comme de pauvres chiens dans un jeu de quilles ?

En publiant quelques ouvrages québécois, Laffont se donnait à peu de frais bonne conscience, tout comme Jacques Hébert d'ailleurs. C'est lui qui avait proposé *Les Grands-pères* à Laffont. Si je n'avais pas été son directeur littéraire, aurais-je eu droit à ce privilège ? À vingt-huit ans, je n'étais plus assez naïf pour le croire, même si ça me fit un peu mal du côté de ma vanité.

Heureusement qu'à Paris je pus me rattraper avec les directeurs de L'Herne. C'est Dominique de Roux qui leur avait signalé mon essai-poulet sur Kérouac qu'il avait lu durant un bref séjour à Montréal. J'avais donc hâte de faire sa connaissance, mais mon voyage en France arriva trop tard : de Roux était déjà mort du cancer quand je trouvai à m'héberger rue de la Huchette. Roger Gentil et Constantin Tacou, les éditeurs de L'Herne, furent irréprochables à mon égard. J'allais les rejoindre à leurs bureaux tôt le matin, ils se mettaient tous les deux au téléphone et cherchaient à m'obtenir des interviews dans les grands médias français. Les auteurs québécois se plaignent souvent de l'indifférence de la presse d'ici quand un nouveau livre d'eux paraît en librairie. Un bref séjour à Paris leur ferait connaître une réalité autrement plus déprimante : si vous n'avez pas l'âme d'un courtisan, si l'art de l'à-plat-ventrisme ne vous est pas habituel, si vous ne savez pas faire singeries et grimaceries, oubliez que vous êtes l'auteur d'un livre qui mériterait peut-être reconnaissance et recyclez-vous dans la mélasse. Tant qu'à coller au fond d'un baril, pourquoi pas dans celui-là ? C'est en tout cas la conclusion à laquelle j'en arrivai quand, malgré toute l'énergie dépensée par Gentil et Tacou pendant deux longues semaines, j'eus droit à trois entrevues dans toute la presse française, ce que mes éditeurs considéraient déjà comme inespéré !

Dans l'une de ces trois entrevues, accordée à Guy Le Clec'h du *Figaro*, je pris à partie Robert Laffont qui avait envoyé *Les Grands-pères* aux libraires avec une note du service commercial qui leur présentait mon roman comme venant d'une lointaine province française et s'adressant aux *amateurs de livres ruraux*. Laffont répliqua à mes propos par une longue lettre dans laquelle il faisait profession de foi en faveur de la *nouvelle littérature canadienne*. Preuve qu'il ne comprenait pas grand-chose à ce qui se passait chez nous, il était incapable de faire la différence entre le Canada français et le Québec, ce qui l'amena à écrire, sans doute sous l'influence de Jacques Hébert :

Il existe au Québec une petite classe d'intellectuels qui fait profession de séparatisme culturel. Il serait faux de croire que ce séparatisme n'est dirigé que contre l'envahissement de la culture anglo-saxonne ; il s'en prend également, et avec violence, à tout ce qui vient de France, et en particulier à la langue française.

Quelques lignes plus loin, Laffont en remettait en faisant du joual un patois montréalais savoureux et coloré, « mais difficilement accessible à la majorité des Canadiens français et à plus forte raison nuisible au rayonnement universel des auteurs qui l'emploient » !

J'engageai la polémique contre Laffont qui, dans une lettre personnelle qu'il me fit parvenir, me menaça de continuer le dialogue devant les tribunaux, signe évident de sa grande ouverture d'esprit.

Les Grands-pères ne profitèrent guère de cette publicité inespérée, pas plus que *L'Amélanchier* de Jacques Ferron d'ailleurs. Quand je lui en parlai, l'éminence de la Grande Corne haussa les épaules :

« Je suis anticlérical et le seul article que m'a valu l'édition de *L'Amélanchier* en France, je le dois au journal papiste *La Croix*. Vous, c'est quand même dans *Le Figaro* que Claude Mauriac a parlé de votre *Kerouac*, en le complimentant, ce qui plus est. De quoi vous plaignez-vous ? »

Ferron me fit cette observation alors que nous assistions tous deux à un lancement chez Fides. J'avais ce jour-là bien d'autres chats à fouetter que l'accueil fait en France à mes livres. En démissionnant du Jour, j'avais non seulement perdu un emploi, mais aussi mon éditeur. Grâce à Michelle Rossignol, j'animais des ateliers de création à l'École nationale de théâtre et une première pièce de moi serait bientôt jouée chez Jean-Claude Germain, mais ça n'avait rien pour remplir la cassette du chômeur que j'étais devenu. Aucune maison d'édition ne m'avait sollicité non plus, ni comme conseiller littéraire ni comme auteur. Je fis part de ma grogne à Louis Geoffroy, qui faisait le pique-assiette dans les petits fours de Fides au milieu de ce cocktail que le père Victor Martin, se pensant à l'église pour le prône dominical, avait su rendre aussi ennuyeux qu'une grand-messe du mois des Morts. Geoffroy besognait alors rue Saint-Paul pour un petit groupe d'éditeurs anarchiques tournant autour de Léandre Bergeron. Il me dit :

« Tu devrais venir travailler avec nous autres. N'importe quand, je t'arrange un rendez-vous avec Guy Saint-Jean. »

Je n'avais encore jamais entendu parler de Guy Saint-Jean. Faisait-il partie de ces professeurs marxistes-léninistes que Léandre Bergeron publiait aux Éditions québécoises grâce au succès phénoménal de *Petit Manuel d'histoire du Québec* ?

« Tu te trompes, me rétorqua Geoffroy. Saint-Jean est administrateur chez Benjamin News, mais possède une maison d'édition, L'Aurore, pour laquelle il se cherche un directeur littéraire. Je suis certain que tu t'entendrais facilement avec lui. »

Benjamin News était alors l'une des plus importantes entreprises de distribution de journaux et de revues au Québec, et c'est dans la langue anglaise du magazine *Playboy* qu'elle brassait le plus gros de ses affaires. Quand je le fis remarquer à Geoffroy, il me dit :

« Bien que ça puisse paraître inconcevable, Saint-Jean est un indépendantiste de la première heure et un coriace militant péquiste. S'il travaille chez Benjamin News, ce n'est pas par choix mais par nécessité. »

Rue Saint-Paul, je rencontrai donc Guy Saint-Jean, un petit homme replet porteur d'une barbe qui poussait dru, aux yeux brillants et dont le nez, légèrement busqué, lui donnait l'air d'un échappé de kibboutz. Peut-être ne faisait-il que subir l'ascendant de son patron, ce Paul Benjamin qui aurait pu siéger au sanhédrin tellement le marquaient ses traits sémites. Quoi qu'il en soit, Saint-Jean ne me fit pas une grande impression dans cette première rencontre que j'eus avec lui. S'il disait aimer la littérature québécoise, il ne me parut pas la fréquenter beaucoup. Avant d'être un poète, même Louis Geoffroy n'était pour lui que le comptable du petit groupe des éditeurs anarchiques du 211, rue Saint-Paul. Sans doute n'aurais-je pas donné suite à sa proposition de devenir le directeur littéraire de L'Aurore si l'idée de travailler avec Léandre Bergeron ne m'avait pas autant souri. J'aimais l'homme qui avait écrit le *Petit Manuel d'histoire du Québec,* qu'il avait publié à compte d'auteur parce que personne n'en avait voulu, la vision dérangeante de Bergeron sur notre passé y contredisant trop l'histoire officielle pour que nos éditeurs timorés d'après la crise d'Octobre veuillent s'y frotter. J'aimais aussi Bergeron pour la grande gueule qu'il avait, son sens de la provocation et les ouvrages, toujours irrévérencieux, qu'il faisait paraître à sa maison d'édition. Lorsque Geoffroy me le présenta, je trouvai qu'il ressemblait à Gabriel Dumont, ce métis révolutionnaire de la Saskatchewan que Riel aurait dû écouter, car en plus d'être un grand seigneur de la guerre, il avait un jugement politique qui faisait cruellement défaut au fondateur de la Jérusalem nouvelle en Amérique.

Après mes années de collaboration avec Jacques Hébert, j'éprouvais le besoin de satisfaire le radicalisme que je portais, non plus dans la solitude comme cela avait été le cas jusqu'alors, mais en toute solidarité avec des femmes et des hommes capables d'assumer leurs différences sans veulerie ni lâcheté. Guy Saint-Jean n'était peut-être pas si mal, tout compte fait. On trouve toujours sympathique un administrateur qui, vous autorisant à ouvrir toutes grandes les écluses de la création, vous permet de publier plus d'ouvrages que vous ne l'espériez même dans vos rêves les plus surréalistes. En moins de deux ans, L'Aurore édita une quatre-vingtaine de livres grâce à une équipe de joyeux contestataires, pour la plupart poètes ou romanciers et dont pas un seul n'avait encore trente ans. Les frères Marcel et François Hébert s'occupaient de la poésie que Roger Des Roches mettait en pages, Gilbert La Rocque faisait la chasse aux romanciers, tandis que Léandre Bergeron et moi, nous courions après les auteurs dont le discours politique n'était pas qu'une perversion du langage, qu'un ramassis d'idées reçues ou déçues. Nous avions marqué la naissance de L'Aurore par un lancement monstre qui dura toute une journée et dont le clou, aux petites heures du matin, fut la présentation d'*Il était une fois dans l'est*, le film de Michel Tremblay et d'André Brassard dont nous venions de publier le scénario. Deux mille personnes assistèrent aux différentes manifestations célébrant la naissance de L'Aurore. La publicité qui entoura l'événement nous amena plusieurs auteurs et notre premier best-seller, *Police et politique au Québec* de Guy Tardif.

Comme bien d'autres, Guy Tardif devint policier parce qu'il était costaud, aimait le port de l'uniforme, le maniement des armes, le café et les beignes. Mais après plusieurs années passées dans la police de Montréal, il en démissionna et commença des études en criminologie à l'Université de Montréal. Il fit sa thèse de doctorat, un pavé de sept cents pages, sur cette époque un brin folklorique du Québec où toutes les municipalités de la province entretenaient elles-mêmes leur force constabulaire. Tardif avait interviewé une centaine de shérifs de petites villes et de villages, son ouvrage fourmillait d'anecdotes pissantes de drôleries et riches d'enseignement sur notre petite histoire : des chefs de police délinquants à ceux dont le soubassement de leur maison servait de prison, un Québec profond dont on n'avait jamais entendu parler nous était raconté par tous ces chefs de police dont plusieurs, sans le savoir, pratiquaient un humour digne de celui d'Yvon Deschamps.

Grâce au succès inespéré de *Police et politique au Québec*, nous pûmes entrer dans la ligue majeure de l'édition québécoise, nous publiâmes les monologues de Marc Favreau et ceux de Clémence DesRochers, nous rassemblâmes les jeunes auteurs de théâtre dans une collection, « Entre le parvis et le boxon », que dirigeait Jean-Claude Germain. Michel Garneau en devint rapidement la vedette, ses pièces étant mises à l'étude dans les maisons d'enseignement tout en étant jouées partout au Québec. En poésie, les frères Hébert nous firent découvrir André Roy, Renaud Longchamps, Claude Beausoleil, François Charron, Madeleine Gagnon, Philippe Haeck, Lucien Francœur et Roger Des Roches. Il y avait là quelque chose de fascinant à participer ainsi à l'émergence de ce que Ferron a appelé la grande génération de la littérature québécoise.

Faut dire que nous ne ménagions pas nos efforts pour la faire connaître. Par exemple, nous organisâmes une tournée à travers le Québec, qui fut inoubliable, une vingtaine d'auteurs de la maison envahissant en même temps l'une ou l'autre des régions du Québec, Rimouski et le Lac-Saint-Jean notamment, distribuant partout des tracts, animant des causeries et des ateliers de création littéraire dans les écoles, les cégeps et les universités tandis que L'Aurore se faisait producteur et présentait, gratuitement, les pièces de Michel Garneau et de Reynald Bouchard, de même que le spectacle de Clémence DesRochers, dans des salles pleines à craquer. Ce fut une aventure souvent carnavalesque, particulièrement à Rimouski quand nous nous retrouvâmes au milieu d'une tempête telle que nous fûmes séquestrés dans nos chambres de motel, enterrés sous ces trois pieds de neige inattendue en plein cœur du mois de mai !

J'étais resté très ami avec Hubert Aquin. Il passait régulièrement rue Saint-Paul et nous prenions plaisir à manger ensemble dans le Vieux-Montréal. Aquin écrivait alors *Neige noire* que je voulais publier à tout prix, d'abord parce que j'étais fasciné par les bribes qu'il me donnait à lire et aussi parce que L'Aurore n'attirait pas encore les romanciers avec lesquels j'aurais aimé travailler. Jacques Ferron m'avait promis ses *Escarmouches* colligées et présentées par Jean Marcel, mais c'est Leméac qui recueillit finalement le manuscrit à la suite d'un mystérieux marchandage auquel je ne compris pas grand-chose quand il me fut expliqué, sinon qu'il y avait une histoire de femme en dessous, que Jean Marcel était amoureux de cette femme-là, par ailleurs attachée à Leméac qui rééditait quelques-uns des ouvrages oubliés de son père. D'autres romanciers, comme Jean Basile et Gilbert La Rocque, avaient des romans en chantier, mais ils n'écrivaient pas très rapidement, et d'autant moins que La Rocque, devenu mon adjoint à L'Aurore, manquait de temps pour venir à bout de *Serge d'entre les morts*.

Je comptais donc beaucoup sur le *Neige noire* d'Aquin afin de donner à L'Aurore une plus grande crédibilité dans le champ du romanesque. Saint-Jean accepta de débloquer deux mille dollars, l'à-valoir qu'exigeait Aquin pour signer le contrat que je lui présentai. Le jour que la chose devait être officialisée, Aquin ne vint pas au rendez-vous qu'il m'avait lui-même fixé et les nombreux appels téléphoniques que je fis chez lui restèrent sans réponse. Habitué par Aquin à ce qu'il appelait lui-même la fuite élocutoire du poète, je ne m'inquiétai pas outre mesure de son brusque silence. J'aurais dû pourtant car, quelques jours plus tard, j'apprenais par les journaux qu'Aquin remportait le prix littéraire de *La Presse* pour *Neige noire* ! Les cinq mille dollars du Roger Lemelin de Power Corporation avaient eu raison d'une amitié que j'ai longtemps considérée comme l'une des plus belles de ma vie. Je n'en voulus pas vraiment à Aquin d'être allé à *La Presse*, je connaissais son manque d'argent et l'insécurité dans laquelle ça le mettait au point de lui rendre intolérable son penchant pour la paranoïa et le suicide. Mon ressentiment se retourna plutôt contre Roger Lemelin et le trip mégalomane que Paul Desmarais lui permettait de vivre rue Saint-Jacques.

Il fallait être naïf pour croire aux velléités gallimardesques de Power Corporation et l'être encore davantage pour penser qu'Aquin, promu directeur des éditions La Presse, ferait bon ménage avec Lemelin, puis avec Claude Hurtubise qui allait bientôt le seconder.

Le Roger Lemelin de cette période-là, je l'aguissais si viscéralement que je faillis l'écraser sous les roues de mon char un soir que, passant devant *La Presse*, je l'en vis sortir, la couette en l'air et portant sur le dos un capot de chat sauvage. Non content de m'avoir enlevé Aquin, Lemelin m'avait insulté lorsque, devenu le roi-nègre de l'académie Goncourt au Québec, il avait pris la peine de me téléphoner à L'Aurore, m'invitant à petit-déjeuner avec lui au Ritz, puis ajoutant :

« Maintenant que je suis membre des Goncourt, des subventions, je vais t'en obtenir, compte sur moi ! »

S'il est vrai que nous avions de la difficulté à nous faire entendre des gouvernements dont les programmes d'aide à l'édition ne nous satisfaisaient pas, nous n'avions jamais compté sur l'éditeur de *La Presse* pour nous donner un coup de main auprès des pouvoirs publics ou du Conseil supérieur du livre que, depuis sa fondation, contrôlaient quelques éditeurs le considérant comme leur chasse gardée. Nous avions même rencontré Robert Bourassa dans l'espoir de le sensibiliser aux structures vétustes des associations professionnelles, à l'envahissement du marché québécois du livre par les entreprises étrangères, au dumping qu'elles pratiquaient chez nous avec la bénédiction des distributeurs, des libraires et des mass media. Plus que dans n'importe quel domaine, la pratique de l'édition faisait de nous des aliénés culturels croyant que notre littérature, loin d'être considérée comme nationale, ne devait être perçue que dans un rapport de complémentarité, souvent même indirect, avec toutes les autres. Cette aliénation consentante, les ministres québécois des Affaires dites culturelles s'en faisaient volontiers les propagandistes, telle l'ineffable Claire Kirkland-Casgrain proclamant que le joual utilisé par Michel Tremblay dans ses pièces était une disgrâce et une honte telles que le Québec ne devait pas en faire la promotion à l'étranger !

En 1974, plusieurs des membres de l'académie Goncourt vinrent au Québec, invités par Roger Lemelin et Power Corporation. On les traita comme les grands seigneurs qu'ils croyaient être et on les laissa discourir à qui mieux mieux sur un Québec qu'ils étaient les seuls à ne pas se rendre compte qu'il n'existait plus. On était à quelques jours de l'Halloween et Lemelin reçut les Goncourt au Ritz, dans un banquet où fut invité le grand fretin de la littérature d'ici, avec comme aumônier principal le jésuite Jacques Godbout. Les Goncourt nous étaient tombés sur les nerfs, à Léandre Bergeron et à moi, ce qui nous incita à leur jouer un tour à notre façon. On mit une citrouille et un gros réveil Westclock qui faisait beaucoup de bruit dans une caisse qu'on adressa au Ritz à Roger Lemelin et qu'on envoya livrer par taxi juste avant que le dîner commence. Dans la lettre à l'intention de Lemelin qui accompagnait le Westclock et la citrouille, Bergeron et moi avions écrit :

Nous avons de bonnes raisons, en tant qu'auteurs et en tant qu'éditeurs, pour ne pas nous associer au concert publicitaire de La Presse *sur la visite des Messieurs de Goncourt dont les idées sur la culture et la nation québécoises sont pour le moins sujettes à caution. Que Monsieur Lanoux boive comme du petit lait les propos ridicules du maire Drapeau sur la langue québécoise, que les chastes Messieurs de Goncourt se fassent flatter la bedaine par ce pauvre Jean Marchand et ce vague croque-mort qu'est Marc Lalonde ; que Roger Lemelin amène tout ce beau monde sur le belvédère du mont Royal, voilà qui confirme ce que nous pensions : ces Messieurs de Goncourt sont venus faire du tourisme, le français étant mal porté depuis quelques années, payant peu. Aussi ces Messieurs de Goncourt, reprenant une vieille idée de l'Église catholique, ont-ils décidé de descendre dans la rue, avec les minables.*

D'abord les Belges et maintenant les Québécois. Mais le goût est le même : aussi bien en Belgique qu'au Québec, ce sont les rois-nègres qu'on visite. Ça va de soi quand on a les idées de ces Messieurs de Goncourt : la littérature, c'est une affaire de grosses poches, et les grosses poches d'ici ne sont pas loin du pouvoir, entre le garde-manger de l'État et l'éditeur de La Presse. *Et le pouvoir ici, c'est dans le fédéralisme qu'on le retrouve. C'est pas un hasard si M. Trudeau est en France en même temps. Les p'tits pois à la française, M. Trudeau connaît ça, serpent jusque dans le fond de l'œil : francophile à Paris, canadian à Ottawa, nixonien avec Nixon, chinois chez Mao et chilien fasciste avec Pinochet.*

Que des auteurs et des éditeurs d'ici se laissent prendre par ça n'a pas de quoi étonner. On sait qu'il y a des écrivains québécois et indépendantistes qui publient aux éditions La Presse, *aveuglés par vos boutons de manchette en or, votre grosse voiture et votre goût très fin pour les vins français. On sait ça parce qu'on sait aussi que les grosses légumes attirent les petites, qu'il y a l'ambition, le Prix de l'éditeur de La Presse (qui est arrivé, ô coïncidence ! en même temps que ces Messieurs de Goncourt) et tout le miroitement des faux diamants du Canada.*

Mais nous, on ne marche pas. Que le fédéralisme soit rentable à ces Messieurs de Goncourt, grand bien leur fasse : ils n'auront jamais moins que le ventre plein de toute façon.

Mais nous, ça nous écœure, cette imposture, parce que ça ravale la culture et l'écriture à un bon gros jeu pour bourgeois repus. C'est pas pour rien que Monsieur Lanoux parlera tantôt des écrivains québécois qui forment une brochette sans pareille. La brochette, c'est aussi bien connu, c'est fait pour être mangé. Nous n'y tenons pas, même pas sous le signe frauduleux de la francophonie. Nous autres, avant même d'être écrivains et éditeurs, nous sommes québécois, engagés dans une lutte de libération nationale. C'est d'ailleurs pour ça que nous sommes écrivains et éditeurs. Parce que nous sommes québécois et que nous en avons plein la casquette qu'on essaie de nous voler même ça. Bien sûr, vos chers Messieurs de Goncourt ne venaient pas ici pour parler de culture ni de politique, seulement pour la langue française. Le fait est qu'ils l'ont bien pendue, juste assez pour qu'ils s'étouffent avec. Et ce sera bien. Quant à nous, nous avons autre chose à faire : le pays québécois. C'est très loin des Messieurs de Goncourt, on le savait aussi.

Mais pour la dernière fois espérons-nous, ces Messieurs de Goncourt l'ont bien dit, entourés de cuisses de grenouille et de têtes de veau farcies. Dommage qu'ils ne soient pas venus le 31 octobre : ils auraient pu ajouter la citrouille à leur menu.

Les mois passaient donc ainsi, au milieu des polémiques que nous prenions plaisir à susciter, sans doute pour nous reposer un peu de tout ce travail que nous abattions afin que L'Aurore, en atteignant à ses grosseurs, puisse répondre aux exigences des auteurs de plus en plus nombreux qui nous soumettaient leurs manuscrits. Nous ne savions pas que l'aventure tirait déjà à sa fin et que la grande débâcle surviendrait aussi brusquement que l'aventure avait débuté. Ironie du sort, nous venions tout juste d'emménager dans les anciens bureaux des Éditions du Jour, au 1651, rue Saint-Denis, quand Paul Benjamin, bailleur de fonds de L'Aurore, avisa Guy Saint-Jean qu'il retirait ses billes du jeu, Benjamin News n'étant pas là, à son dire, pour subventionner sans espoir de retour possible une littérature qui laissait indifférents même les pouvoirs publics. Je n'étais qu'un actionnaire minoritaire de L'Aurore et je ne m'étais jamais occupé de sa gestion quotidienne, concentrant toutes mes énergies sur les livres à faire paraître et à promouvoir. La décision inattendue de Paul Benjamin me jeta littéralement en bas de mon fauteuil puisque, quelques mois plus tôt, Saint-Jean m'avait donné le feu vert pour publier encore plus de titres que ce que prévoyait le calendrier de production.

Devant l'éventualité de la fermeture de L'Aurore, je demandai à voir Paul Benjamin, que je ne connaissais pas vraiment. Il m'apprit que L'Aurore, dont le déficit était de l'ordre de deux cent mille dollars, avait fait une demande de prêt à la Société de développement industriel dans le cadre de la Loi sur les prêts garantis ; le prêt ayant été refusé, il n'avait pas d'autre choix que de laisser tomber. Je convoquai alors une réunion des auteurs de la maison qui me mandatèrent pour négocier avec Benjamin News l'achat de L'Aurore afin qu'elle devienne une coopérative d'édition. Paul Benjamin et Guy Saint-Jean acceptèrent la proposition et signèrent une promesse de vente conditionnelle à l'obtention d'un prêt de la Société de développement industriel. Celle-ci fut d'accord, mais exigea la participation financière des auteurs, ce qui représentait trente mille piastres. Sur la soixantaine d'écrivains attachés à la maison, une vingtaine donnèrent suite à la campagne de souscription. Après un mois, nous n'avions amassé que trois mille des trente mille dollars exigés par le gouvernement !

Je convoquai une nouvelle réunion avec les auteurs, qui fut absolument déprimante. Plusieurs partirent avant la fin de l'assemblée et d'autres eurent des idées lumineuses : ça allait de la tenue d'une tombola à l'occupation de Télé-Métropole dans l'espoir de convaincre les téléspectateurs d'envoyer chacun une piastre à L'Aurore ! Quand je parlai de démissionner, je ne rencontrai que de l'air, les auteurs encore présents à la réunion ne réagissant guère.

Je demandai une nouvelle rencontre avec Paul Benjamin, qui ne voulut pas surseoir à sa décision de mettre fin aux activités de L'Aurore. J'avais essayé de le convaincre que, s'il me laissait un peu de temps, je trouverais peut-être à satisfaire autrement la SDI que par la participation des auteurs. Me sachant aussi pauvre que Job sur son tas de fumier, Paul Benjamin me suggéra d'appuyer ma demande autrement que sur de simples paroles. Autrement, il ne voyait pas l'intérêt qu'il pourrait avoir à me recevoir une seule fois de plus.

Je sortis absolument sans espoir du bureau de Paul Benjamin et acceptai l'invitation de Guy Saint-Jean d'aller boire une bière avec lui à La Grange à Séraphin, rue Amherst. Quelques mois plus tôt, nous y avions lancé un petit ouvrage absolument farfelu sur le Parti rhinocéros, que Jacques Ferron, l'éminence de la Grande Corne, avait présidé avec son implacable ironie. Le party avait duré jusqu'aux petites heures du matin, dans cette euphorique anarchie si caractéristique des célébrations de L'Aurore. De me retrouver à La Grange à Séraphin à envisager avec Saint-Jean la mort du rêve que nous avions ensemble me révolta. Après avoir ingurgité quelques bières, mon désenchantement était tel que j'annonçai à Saint-Jean vouloir m'en prendre à Paul Benjamin en menant contre lui une campagne de presse qui le forcerait à ne pas tuer L'Aurore. Saint-Jean me dit :

« Ce n'est pas un jeu agréable à jouer contre quelqu'un dont le nom est Benjamin. Tu risquerais tout bonnement de te retrouver avec les jambes cassées. Si j'étais toi, je réfléchirais là-dessus avant d'écrire un premier communiqué et de convoquer la presse pour le lui donner à lire. »

Je rentrai à la maison saoul et déprimé à mort. J'avais perdu le peu d'argent que j'avais en l'investissant dans L'Aurore et je n'étais plus, encore une fois, qu'un déclassé parmi tant d'autres qui devrait s'endetter s'il voulait continuer à faire vivre femme et enfants. Après plusieurs mois de séparation, j'étais revenu dans ma famille du boulevard Gouin afin d'essayer une autre fois encore d'être au moins un père et un mari compétents. Sachant tout le temps et l'énergie que j'avais mis dans mon métier d'éditeur, ma femme chercha du mieux qu'elle le pouvait à me consoler. Elle me dit :

« Tu te plains depuis des mois que L'Aurore te mange tout ce temps dont tu aurais besoin pour écrire ton livre sur Melville. Maintenant, tu vas pouvoir t'y consacrer vraiment. Je ne m'en plaindrai pas, sois-en certain. »

Ma femme marquait ainsi la lassitude qui lui était venue après ces nombreuses semaines que j'avais passées à essayer d'accoucher d'un ouvrage sur lequel je ne pouvais travailler qu'à la sauvette, ou trop tard le soir ou trop tôt le matin, c'était selon mes obligations comme éditeur. Si certains livres peuvent s'écrire par fragments, par petites bourrées de travail et sauts de puce, c'est qu'ils ne conscrivent pas toute votre mémoire, mais n'en occupent que l'un ou l'autre des tiroirs, que vous pouvez ouvrir et refermer sur demande, sans jamais y trouver autre chose que ce que vous y avez mis. Vous ne pouvez donc pas perdre ces ouvrages-là de vue, ils n'arrivent plus à vous échapper. Il n'en va pas ainsi quand l'œuvre à faire venir est un manuscrit de sept cents pages et qu'il vise à extraire de vous la totalité de ce que vous êtes, du passé plus loin que votre enfance à ce qui se projette par-devant, embrassement et embrasement du monde, dégagement des sens et du sens, ce qui est un enfoncement tel dans les mots que votre mémoire s'en trouve absolument habitée. À mes débuts comme adjoint de Jacques Hébert, j'avais été confronté à une pareille exigence pour un livre dont je voulais accoucher sur James Joyce. J'en recommençai souvent le premier chapitre, parce que je ne pouvais m'y atteler que par secousses et que ma mémoire se rebellait du fait que je la malusais en ne recourant à elle qu'avec parcimonie. J'avais dû mettre l'ouvrage de côté, ou plutôt en dessous de tous ces autres que je pouvais écrire sans avoir à disparaître au milieu d'eux, là où la *vraie* mémoire a la forme d'une spirale, en même temps avalante et désavalante.

Mon projet d'écriture sur Melville m'obligeait à recourir à cette *vraie* mémoire, ce qui demande tout le temps dont vous pouvez disposer. Or le temps est toujours ce dont vous manquez le plus quand vous êtes pauvre, mal outillé et éditeur. Lire un manuscrit, travailler avec son auteur à le peaufiner, choisir pour lui la typographie et la mise en pages les plus appropriées possible, déterminer le contenu d'une jaquette et l'image que par elle on voudrait faire naître chez le lecteur, ça requiert une sensibilité que tout le monde n'a évidemment pas, ce qui explique que tant de livres qui paraissent soient aussi laids, même comme simples objets. Et encore, ce travail-là n'est-il que la pointe d'un énorme iceberg sous lequel se cache un auteur besognant souvent dans la solitude, pour qui vous devez être une *moman* toujours prête à lui venir en aide, peu importe si vous devez vous réveiller au milieu de la nuit afin de répondre à ses appels téléphoniques désespérés ou bien à son arrivée intempestive chez vous, une bouteille de cognac dans une main et quelques feuillets d'un manuscrit dans l'autre, qu'il vous faudra lire et commenter sur-le-champ. Encore chanceux si vous n'êtes pas obligé de quitter brusquement une réunion ou une célébration parce qu'un avatar d'Antonin Artaud a débarqué sans prévenir chez vous et qu'il menace votre femme de tout casser dans la maison si vous n'accourez pas illico l'entendre déclamer ses hallucinants poèmes !

Pourtant, c'est une vie dont je n'ai pas su me passer malgré le découragement qui m'a parfois habité dans mon métier d'éditeur. Je me suis fait demander je ne sais plus combien de fois : « Pourquoi tiens-tu tant que ça à te charger des mots des autres ? Les tiens, pourtant nombreux, ne te suffisent-ils donc pas ? » Immanquablement, j'ai répondu non parce que les mots que j'écris ne m'aident pas toujours à vivre, n'apportent que rarement plus de beauté dans mon existence et répondent bien gauchement aux questions que je me pose. Écrire est un acte sauvagement solitaire, à mille milles de ce besoin de solidarité qui me rend dépendant des mots des autres. Quelle joie c'est de recevoir un manuscrit de Jacques Ferron, de Marie-Claire Blais ou d'un auteur qui vous est tout à fait inconnu, d'en lire les premiers mots et de vous croire aussitôt aspiré par une beauté qui vous échappe continuellement quand c'est vous-même qui tenez le stylo-feutre. Pour moi, il n'y a que là que le mot fraternité fasse vraiment sens.

Il me semble que ce soir-là de la fin de L'Aurore, ce sont ces rapports de mon moi aguissable avec l'écriture des autres que j'ai tenté de tirer au clair en jasant avec ma femme. Je ne suis pas certain toutefois qu'elle ait compris ce que je voulais dire quand je lui parlai de mon sentiment d'être devenu un orphelin des mots des autres, et que cela me faisait une profonde blessure du côté du cœur. Parce que la rage et la déprime m'étouffaient toujours, elle me tapota la cuisse, disant :

« Quelques jours à Sainte-Émélie-de-l'Énergie te rappelleront vite que tu es d'abord un écrivain. »

J'avais acheté en Matawinie une petite ferme et une grande terre où j'apprenais à mes filles à soigner les animaux, à connaître les noms des plantes, à ramasser les fruits sauvages et à aller à dos de poney, tout roux de robe et blond de crinière. Pour devenir actionnaire minoritaire de L'Aurore, j'avais dû les hypothéquer et risquais donc de les perdre maintenant que j'étais sans travail. Je n'osai toutefois pas l'avouer à ma femme, me contentant de suivre son conseil et de déguerpir à Sainte-Émélie-de-l'Énergie. J'y restai une semaine à varnousser autour des bâtiments, à regarder un paysage qui serait bientôt derrière moi, tout comme ce que j'avais vécu à L'Aurore. Les grands changements dans ma vie ont toujours impliqué une mouvance géographique – ce besoin irréfrénable de me retrouver ailleurs, comme si l'échec me rendait inhabitable le pays du quotidien, des habitudes et de la routine.

Après sept jours à tourner en rond dans mon corps toujours endeuillé de la tête aux pieds, je téléphonai au journal *La Presse* et y fis paraître une annonce dans l'espoir de vendre ce que je possédais à Sainte-Émélie-de-l'Énergie. Après tout, il ne s'agissait que d'une vétuste maison de campagne, mal bâtie pour résister aux grands vents du nord, sur une terre rocheuse que les spéculateurs encercleraient tôt ou tard, y faisant construire ces affreux chalets qui en mutileraient l'âpre beauté. Mes dettes payées, il me resterait peut-être même de quoi survivre pendant six mois, le temps dont j'avais besoin pour savoir si, en entrant enfin dans le monde de Melville, je pourrais me passer des mots des autres en ne donnant la souveraineté de la chaleur qu'aux miens.

Durant cette semaine, une lettre publiée dans *La Presse* mit un peu de baume sur la blessure que j'avais du côté du cœur. La fin de L'Aurore avait excité contre moi tous ceux avec qui j'avais dû me frotter en tant qu'éditeur et polémiste. Sous la houlette de Robert Davis et de Gérald Godin, ils me vouaient aux gémonies en en bavant de joie. Un seul écrivain, que je n'avais pas publié, prit ma défense. Ce fut Yves Thériault qui ramena le débat à sa juste dimension tout en donnant un éclairage inattendu sur la pratique de l'édition québécoise :

Monsieur Gérald Godin, s'appuyant sur les éditions Parti pris, prend à partie Victor-Lévy Beaulieu, ci-devant de L'Aurore, le plus dangereux concurrent de Parti pris depuis longtemps. Le procédé de frapper un homme à terre surprend certes, il a de vagues relents sadiques qui ne sont pas trop de mise dans les circonstances. Bien sûr, nous aurions beau jeu de relever les déclarations passées de

VLB, comme l'appelle Godin. Encore faut-il tenir compte de l'esprit potache de Victor, de sa gouaille coutumière et des énormités qu'il s'est toujours plu à servir aux gens. Les conformistes, dont j'ignorais que Godin en fût, se sont toujours offusqués des affirmations de Beaulieu. D'autres ont surtout su en prendre et en laisser.

Malgré tout, la véritable cause de la défaite de L'Aurore va sûrement plus loin. Au Québec une maison d'édition qui meurt, c'est triste. Surtout que celle-là, au fond, respectait ses auteurs, du moins au temps des vaches grasses. Leur texte a été respecté, les volumes étaient bien réalisés, bien présentés, la publicité était abondante et bien faite, et personne n'a eu honte d'appartenir à L'Aurore.

*Je ne peux certes pas en dire autant de Stanké et de sa maison dite internationale. Les textes y sont tripotés à l'envi et j'en sais quelque chose, la présentation imaginée par les Quinze est d'une banalité désespérante, la publicité est à peu près nulle, la distribution est retardataire, et le respect de l'auteur est tellement galvaudé que la moindre protestation entraîne, croyez-le ou non, de mesquines sanctions contre l'effronté qui ose réclamer, à tout le moins, qu'on respecte son œuvre, puisqu'on en tire pain et beurre beaucoup plus qu'il ne le fait. Pour preuve : on me facture le transport pour m'expédier les exemplaires d'*Œuvre de chair *auxquels mon contrat me donne droit. On me punit d'avoir protesté parce que le texte d'*Agoak *a été dénaturé au point de me faire honte.*

Voilà qui est infiniment pire que les coups d'épée dans l'eau, parfois puérils, je l'admets, que Beaulieu portait pour affirmer son existence d'éditeur.

À la fin, peut-être faudrait-il dire que nul éditeur n'est parfait, et que nous avons tristement besoin de chacun d'eux, si pourri soit-il. Je n'aimerais pas plus voir disparaître Stanké, même s'il le mérite, et même si je n'édite plus chez lui, que j'aime voir périr Beaulieu. Il serait pire encore de n'avoir pas d'éditeur du tout.

Réconforté par ce texte de Thériault, je sortis de ma prostration, fis quelques pots de confitures de bleuets, puis, laissant Sainte-Émélie-de-l'Énergie derrière moi, je rentrai à Montréal. Sur la route qui m'y ramenait, j'eus une idée qui, sans remettre en cause ma décision de me défaire de ma petite ferme et de ma grande terre, allait toutefois me compliquer sérieusement l'écriture de mon ouvrage sur Melville. Après ma démission, l'enterrement de L'Aurore s'était fait si rapidement que la plupart des auteurs ne l'avaient même pas su. Je tenais à revoir quelques-uns d'entre eux, qui étaient devenus mes amis et envers lesquels je me sentais en dette à cause de leurs manuscrits qui ne verraient peut-être jamais le jour maintenant que la maison d'édition avait fermé ses portes. Il y avait Gilbert La Rocque et *Serge d'entre les morts*, Claude Lévesque et *L'Étrangeté du texte*, Jean-Claude Germain et *Sarah Ménard par eux-mêmes*, Michel Garneau et *Gilgamesh* que je venais de relire pendant mon séjour à Sainte-Émélie-de-l'Énergie – ce texte magnifique, ces mots d'Outnapishtim que j'aurais pu croire n'avoir été écrits que pour moi tellement ils disaient bien mon sentiment :

Tu es un enfant des dieux
Tu es un enfant de l'humanité

La mort est terrible
Et la vie reste vivante

Tout le temps nous bâtissons des maisons
Tout le temps nous scellons des contrats
Tout le temps nous partageons un héritage
Tout le temps l'hostilité règne
Tout le temps l'amour cherche l'amour
Tout le temps le fleuve coule

Aucun homme ne peut regarder le soleil en face
Et le soleil est toujours là.

Je mis peu de temps à joindre mes amis, qui acceptèrent tous mon invitation à souper au restaurant. Je demandai à Léandre Bergeron d'y être aussi, même s'il se préparait à déménager en Abitibi. Pour lui également était venu le temps d'un grand changement. Abandonnant son poste de professeur à l'Université Concordia, Bergeron tournait le dos aux Éditions québécoises et quittait Montréal pour s'en aller vivre, dans un bout de rang de McWatters, une existence axée sur la famille, le recueillement, l'élevage des moutons, la fabrication de la bière domestique et la chasse aux bêtes sauvages. Il ne faisait plus seulement que ressembler au Gabriel Dumont que j'aimais tant, il en était devenu le frère de sang et de pensée. J'avais hâte de lui serrer la main, celle de Garneau aussi, et celle de tous les autres. En attendant que cela vînt au-devant de moi, je feuilletai le manuscrit de *Serge d'entre les morts* et tombai sur ces mots que j'aurais pu croire, comme ceux de Michel Garneau, n'avoir été écrits que pour moi :

Il restait dans le corridor, entre l'escalier et le téléphone, formidable et granitique sur ses jambes écartées, il savait qu'il parviendrait à se ressaisir, il faut encaisser, fesser dans le tas ou encaisser, c'était inscrit en lui, il savait qu'il n'y avait pas moyen de faire autrement : rester debout de toute façon – il avait l'impression d'avoir passé au travers d'un mur de feu.

Huit

Dans *L'Héritage*, je faisais dire à Junior Galarneau que la famille où l'on s'est retrouvé en naissant n'est pas toujours celle qui nous convient et que nous avons le droit, au sortir de l'adolescence, de nous en donner une qui réponde davantage à nos besoins. Plusieurs deviennent écrivains parce qu'ils sont en manque d'une parentèle avec laquelle fraterniser vraiment. Pour eux, l'invention de personnages comble ce vide créé par un père manquant, une mère disparue trop tôt, des frères et des sœurs qu'on ne fréquente pas parce que le mode de vie qu'ils pratiquent est à mille milles de soi. Par l'imagination se forme une nouvelle famille qui devient ainsi plus réelle que la vraie et plus satisfaisante.

Sans doute ne serais-je pas devenu écrivain ni éditeur si j'avais pu trouver dans ma famille ces interlocuteurs dont je ne pouvais me passer. Sans doute n'aurais-je pas considéré Jacques Ferron comme cette plus haute autorité dont il a si souvent parlé parce que lui-même en manque d'un père aimant et protecteur. Après avoir fait faillite, le sien s'était suicidé, incapable d'affronter le malheur. Sylvain, le frère de Michel Garneau, était devenu poète parce que son père, juge et petit-bourgeois, ne pouvait être un interlocuteur valable pour lui. Incapable de le retrouver dans les mots qu'il écrivait, Sylvain s'était enlevé la vie à vingt-trois ans après l'écriture de fulgurants poèmes sur l'impossibilité de revenir au *nouma* de l'enfance heureuse parce que abrillée par un père confortant. Dans ses romans, Gilbert La Rocque exorcisait une famille pauvre de corps et d'esprit et si dépossédée de tout que la violence ne pouvait que la submerger, non pas tournée contre les autres mais contre elle-même. Dans ses pièces de théâtre, Jean-Claude Germain remplaçait un père parti trop tôt par un fourmillement de personnages historiques refusant la paternité de leurs œuvres et, à cause de cela, trahissant leur descendance. D'abord prêtre, Claude Lévesque avait rompu avec l'Église pour devenir le philosophe de la mort de Dieu et, *d'une main criminelle et dévastatrice*, abolir le Père et la Mère dans leur impuissance afin de leur substituer une famille autrement plus signifiante, celle de Nietzsche, Freud, Blanchot et Derrida.

J'étais sidéré par l'érudition de Jean-Claude Germain, envoûté par la voix de Michel Garneau quand il lisait ses poèmes, stimulé par tout ce que Claude Lévesque m'apprenait sur Zarathoustra, conquis par l'histoire métisse telle que Léandre Bergeron la racontait et désireux de relire William Faulkner toutes les fois que Gilbert La Rocque me parlait du *Bruit et de la Fureur* ou d'*Absalon ! Absalon !*

C'est ce grand plaisir là que je retrouvai lorsque, attablé dans un restaurant du centre-ville de Montréal, nous célébrâmes à notre façon la fin de L'Aurore, La Rocque dans un foisonnement de calembredaines et de contrepèteries, Garneau et Germain dans les éclats de leurs rires prodigieux, Bergeron dans la fébrilité de son proche départ pour l'Abitibi, Claude Lévesque et moi-même dans l'ironie mordante du Nietzsche de Zarathoustra :

Dites-vous jamais Oui à un seul plaisir ? Ô mes amis, de la sorte vous dites Oui aussi à toute *peine ! Toutes choses sont enchaînées, enchevêtrées, éprises – jamais voulûtes-vous que fût deux fois une fois, jamais avez-vous dit : « Tu me plais, bonheur ! Instant ! Clignement d'œil ! », c'est ainsi que vous vouliez que tout revînt ! – Tout à nouveau, éternellement, tout enchaîné, enchevêtré, épris, oh ! c'est ainsi que vous* aimez *le monde, – ô vous les éternels, éternellement l'aimez et pour toujours ; et à peine aussi vous dites : Disparais, mais reviens !* Car tout plaisir veut éternité.

Combinés à l'effet que le vin rouge avait sur moi, ces mots de Nietzsche ressuscitèrent mon côté batailleur que je ne peux jamais écarter de moi très longtemps, puisque si « tout plaisir veut éternité », il ne représenterait plus grand-chose sans la volonté d'agir par laquelle il s'établit. Aussi, me prenant moi-même pour Zarathoustra, ai-je estomaqué mes amis en leur disant :

« Nous devrions fonder ensemble une petite maison d'édition parce que nous avons tous des livres à publier, et plusieurs pour certains d'entre nous. Le Conseil des Arts du Canada accepterait sans doute de transférer à notre petite maison les subventions accordées à L'Aurore, ce qui paierait une bonne partie des frais d'impression. Pour le reste, je trouverai à me débrouiller.

– Comment ? rétorqua aussitôt Jean-Claude Germain. Même si le Conseil des Arts donnait suite à ton idée du transfert des subventions promises à L'Aurore, ça ne vaudrait que pour quelques livres. Après ceux-là, il nous faudrait attendre deux ans avant qu'on daigne considérer nos demandes, et encore n'est-ce même pas certain qu'on en retirerait quelque chose. »

Germain touchait là à l'une des absurdités des règles qui conditionnent la pratique de l'édition chez nous. Dans le monde ordinaire des affaires, l'entrepreneur met sur pied un projet, en détermine les coûts éventuels, de même que les revenus qu'il compte en tirer, puis, soumettant la chose aux gouvernements, il reçoit pour commencer l'aide dont il a besoin si on juge que ses demandes sont pertinentes. Dans l'édition, on procède généralement à l'envers. Avant d'être admis dans le cercle des éditeurs professionnels, vous devez patienter un minimum de deux longues années, puis ne vous contenter que des miettes des riches, presque tous les programmes d'aide étant établis d'après les ventes réalisées par votre maison d'édition. Plus votre chiffre d'affaires est grand et plus vos subventions le sont aussi. Moins vous vendez de livres et moins vous êtes aidé. Ce fonctionnement digne du capitalisme le plus sauvage a une explication historique : quand, au milieu des années soixante, les premiers programmes d'aide à l'édition ont été institués, ce fut sur les instances des quelques gros éditeurs littéraires qui existaient alors et qui manquaient d'argent pour continuer à prendre de l'expansion. Ces gros éditeurs étant tous fédéralistes, Ottawa répondit avant Québec à leurs demandes, et ce fut bien plus politique que culturel. Aujourd'hui encore, au moins soixante-cinq pour cent des subventions que reçoivent les éditeurs québécois viennent d'Ottawa, ce qui devrait paraître odieux à quiconque croit toujours aux promesses faites par le Parti Québécois. Ajoutez à cette aberration une bureaucratie qui se complaît dans le tatillonnage et vous comprendrez rapidement pourquoi les jeunes maisons d'édition de chez nous doivent fermer leurs portes après quelques années d'existence. Bien qu'on y travaille presque toujours bénévolement, dans de pauvres soubassements, l'endettement devient rapidement un boulet impossible à traîner. Lorsque la grande comédienne Sarah Bernhardt s'amena au Québec pour y jouer, elle eut ce commentaire historique : « Singulier pays où les Sauvages sont civilisés et les poètes sont gras ! » Si elle avait connu notre bureaucratie, nul doute qu'elle se serait aussi écriée : « Singulier pays où les seuls qui vivent de la culture sont ceux qui la gèrent ! »

À la fin de 1975, la situation n'était ni meilleure ni pire que maintenant : les éditeurs bien établis formaient une manière de club privé que l'émergence d'une littérature véritablement nationale laissait indifférent. Ces éditeurs-là voyageaient beaucoup dans le monde, mais on ne les voyait pas souvent en compagnie des écrivains qu'ils publiaient. Belle époque que celle-là, et que J. Z. Léon Patenaude a si bien symbolisée, lui qui demandait aux auteurs de signer leurs ouvrages, pour mieux les lire, croyez-vous ? Détrompez-vous, car Patenaude découpait la page autographiée et la faisait encadrer, ce qui lui paraissait être le summum que pouvait atteindre l'homme cultivé. Quant au livre mutilé, il s'en débarrassait, parfois même en l'offrant en cadeau à quelqu'un d'autre !

Une fois rentré chez moi après avoir soupé avec Germain, Garneau, La Rocque, Lévesque et Bergeron, je n'osai pas dire tout de suite à ma femme qu'une nouvelle maison d'édition venait d'être créée, qu'elle s'appellerait VLB éditeur grâce à Jean-Claude Germain qui en avait fait la suggestion en me disant :

« Après le Jour et L'Aurore, qui ne t'appartenaient pas, les gens doivent savoir que cette fois-ci, c'est toi, et toi seul, qui tiens les cordeaux. Question d'image, il n'y a pas autre chose à faire. »

Ça n'en mettait pas moins sur mes épaules toutes les responsabilités inhérentes au fonctionnement d'une maison d'édition. C'est ce que me rétorqua ma femme lorsque je lui appris la bonne nouvelle après avoir attendu une semaine avant de la lui communiquer. Pour retarder le moment de lui en parler, je m'inventai un bon prétexte : à la suite de l'annonce que j'avais fait paraître dans *La Presse* au sujet de ma petite ferme et de ma grande terre de Sainte-Émélie-de-l'Énergie, j'avais reçu quelques appels intéressés, ce qui m'obligeait à faire la navette entre Morial-Mort et la Matawinie afin de montrer les lieux aux acheteurs éventuels. L'un d'eux me fit une offre que je ne pouvais pas refuser, non pas parce qu'elle représentait le pactole pour moi, mais simplement parce que mon interlocuteur était océanologue comme le Job J Jobin de mon roman *Blanche forcée,* le livre par lequel je voulais ouvrir le cycle des *Voyageries* dont *Monsieur Melville* serait la clé de voûte. Il m'arrive parfois d'être superstitieux et de voir des signes là où il n'y en a sans doute pas, mais dès que ces signes-là se manifestent, je me retrouve facilement obsédé par eux. Je m'en console en me disant que je partage ainsi quelque chose avec des écrivains que j'aime et qui, tels Hugo, Tolstoï et Joyce, étaient fascinés par les coïncidences.

Mes possessions de la Matawinie vendues à mon océanologue, je payai ce que je devais à la Caisse populaire, ce qui me laissa avec un petit bas de laine que je partageai avec ma femme, question de l'amadouer pour VLB éditeur. La pilule à avaler était de taille pour quelqu'une qui pensait déjà que la littérature était un mange-amour, un mange-famille et un mange-n'importe-quoi. Tant que j'avais œuvré pour le Jour et pour L'Aurore, c'était un demi-mal puisque ça se passait rue Saint-Denis et rue Saint-Paul, notre maison restant un lieu privé que seuls quelques échappés d'asile essayaient parfois de forcer. En devenant éditeur à mon compte, la donne changeait du tout au tout puisque ça serait dans le soubassement d'un ancien chalet rénové que j'exercerais mon métier. La cave serait aussi réquisitionnée pour y mettre les livres que nous aurions en trop, notre distributeur ne pouvant lui-même en assurer l'entreposage. Ma femme ne pouvait pas vraiment se former une image de tout ce que je lui dis de la nouvelle vie qui nous attendait, la pratique quotidienne de l'édition étant à mille milles des préoccupations qu'elle avait eues jusque-là. Si elle avait su, VLB éditeur n'aurait jamais installé ses pénates sur le boulevard Gouin, face à ce petit sous-bois en bordure de la rivière des Prairies.

Les quatre premiers ouvrages publiés par VLB éditeur virent le jour en février 1976, mais celui qui inaugura véritablement la création de la maison fut *L'Étrangeté du texte* de Claude Lévesque, un livre difficile, d'une lecture extrêmement exigeante, parce que porteur d'un projet ambitieux : *par l'abandon et la transgression de tout ce qui garantit notre culture, aller au-delà, c'est-à-dire au-dehors, dans la nuit et le froid qui dégrise et, d'une main criminelle et dévastatrice, produire un changement d'époque en aggravant les failles qui sillonnent le texte général, construisant un nouveau désir, plus périlleux, plus délirant*. Ces mots-là, je les avais extraits du prière d'insérer écrit par Claude Lévesque et je les avais fait composer dans les caractères de Firmin Didot ; une fois imprimés sur papier glacé, puis encadrés, ils restèrent longtemps sur la grande table en pommier qui me servait à écrire. Je les considérais comme une manière de manifeste parce qu'ils disaient exactement l'esprit dont provenait VLB éditeur et de quelle littérature nous entendions nous sustenter.

En même temps que le livre de Claude Lévesque parurent *Les Hauts et les Bas d'la vie d'une diva : Sarah Ménard par eux-mêmes* de Jean-Claude Germain, *Gilgamesh* de Michel Garneau, *Blanche forcée*, le premier volume de mes *Voyageries*, et *Serge d'entre les morts* de Gilbert La Rocque. Si j'avais pu convaincre le baron de Cardaillac, imprimeur à Montmagny, de nous fabriquer en même temps ces quatre ouvrages-là, c'est que la Société Radio-Canada m'avait commandé l'écriture d'un premier feuilleton, que je m'étais mis à travailler dessus avec Gilbert La Rocque, ce qui m'assurait de substantielles rentrées d'argent. En cas de mévente des premiers ouvrages de VLB éditeur, je pourrais au moins faire face à mes obligations à l'endroit du baron de Cardaillac.

Gilbert La Rocque ne me donnait pas seulement un coup de main pour l'écriture de mon feuilleton *Les As* dont il trouvait les sujets à développer. Il besognait aussi avec moi dans cette petite maison de la grande littérature dont le logo était un dessin de Victor Hugo, une espèce de monstre guerrier à grand chapeau et muni d'une longue épée, qui répondait au nom évocateur de Goulatromba. Il me paraissait tout à fait convenir, par l'image baroque qu'il donnait, au projet qui nous animait, La Rocque et moi.

J'avais connu La Rocque alors qu'il travaillait au service des permis de la ville de Montréal-Nord. Il avait étudié pour devenir ferblantier, mais son engouement pour Mallarmé et William Faulkner l'avait rapidement détourné de la tôle et du fer-blanc, le forçant à entrer en écriture comme jadis on entrait en religion, sur un mode épiphanique interdisant tout compromis et toute compromission. J'avais publié au Jour ses premiers romans, *Après la boue*, *Corridors* et *Le Nombril*, des œuvres profondément désespérées dans lesquelles les pères sont violents, ivrognes et veules, les mères neurasthéniques, les filles battues et violées, les fils schizophrènes et suicidaires. Ce n'étaient pas des livres de tout repos et que n'importe qui pouvait fréquenter avec bonheur. La Rocque n'en vendait donc pas beaucoup, ce qui exacerbait encore l'état de frustration qui était naturellement le sien. Je n'ai jamais de toute ma vie rencontré quelqu'un ayant comme La Rocque, inscrit partout dans le corps, ce que Kierkegaard a appelé le sentiment tragique de la vie. Tout le révoltait jusqu'à la nausée et rien, jamais, ne pouvait satisfaire ses désirs, même les plus quotidiens. Quand La Rocque racontait des histoires, ce dans quoi il excellait, ou quand il se mettait à calembourger ou à calembredainer, il lui arrivait de s'illuminer joyeusement et de rire pour vrai, mais ce n'était que passager, son amertume et son cynisme noir reprenant rapidement le dessus.

Pour moi, La Rocque était comme un frère désastreusement né sous une mauvaise étoile et il ne pourrait jamais échapper à sa force d'attraction malgré tous les efforts qu'il pourrait y mettre. Il était aussi de ce type d'écrivain dont l'ambition est d'être considéré comme le meilleur et d'occuper toute la place comme si ça lui revenait de droit pour ainsi dire divin. D'où le mécontentement de La Rocque, notamment quand les prix littéraires étaient attribués : si ses romans se retrouvaient généralement parmi ceux des finalistes, aucun jury ne le lauréatisa, sauf sur le tard quand on lui accorda le prix Suisse-Canada, et encore fut-ce davantage pour ses mérites d'éditeur que pour le romancier qu'il était.

Nous étions comme des frères et, du temps de L'Aurore, nous profitions mutuellement de nos différences. J'avais souvent l'esprit brouillon du fait de l'éparpillement de mon énergie tandis que La Rocque avait quelque chose du moine bénédictin incapable de se voir autrement que penché sur ses grimoires. Ça en faisait un lecteur de manuscrits impitoyable et un féroce réviseur – comme si son stylo avait été un scalpel de chirurgien s'enfonçant sans merci dans la chair du texte. Je me souviens encore du premier que je lui avais donné à corriger et qu'il m'avait remis si retravaillé que je n'avais pas osé le donner à relire à son auteur de peur qu'il en fasse une crise d'apoplexie. La Rocque aurait voulu que les manuscrits des autres soient aussi soignés que les siens, qu'ils n'aient pas de failles structurales et que les personnages se rendent jusqu'au bout de leur recherche identitaire. J'eus de la difficulté à lui faire comprendre que l'écriture ne peut se concevoir ainsi que pour soi, que celle des autres doit être analysée en fonction de sa singularité qui, elle seule, est souveraine. En un sens, La Rocque était trop écrivain pour avoir cette humilité que l'éditeur doit pratiquer aussitôt qu'il tourne la première page d'un manuscrit.

VLB éditeur passa le cap de sa première année d'existence de la même manière que mon feuilleton télévisé, par sauts et soubresauts. La Rocque était si mal payé qu'il n'arrivait pas à joindre les deux bouts. Quand je décidai de résilier le contrat avec la Société Radio-Canada que j'avais en poche pour l'écriture d'une deuxième année des *As*, ce fut La Rocque qui se retrouva le plus mal pris de nous deux parce qu'il perdait ainsi sa seule source de revenus réguliers. Je fis appel aux gouvernements, dans l'espoir de leur soutirer une subvention qui aurait permis à La Rocque de vivre décemment en attendant que VLB éditeur puisse lui payer un salaire convenable, mais les règles bureaucratiques étant ce qu'elles sont, ma demande se promena d'un bureau à l'autre pendant des semaines et fut refusée. C'est alors que Jacques Fortin me demanda l'autorisation de discuter affaires avec La Rocque. Sa maison connaissait un essor prodigieux du côté du roman et il avait besoin d'un directeur littéraire. J'avais connu Fortin à ses débuts comme éditeur, alors qu'il n'était encore qu'un jeune loup échappé de sa Beauce natale, ambitieux mais si méconnaissant qu'il avait parfois recours à moi qui l'informais aussi bien sur la littérature québécoise que sur la fabrication d'un livre. Nous étions devenus amis et, entre deux conversations sur la pratique de notre métier, nous courions la galipote ensemble pendant les Salons du livre auxquels nous participions.

En laissant La Rocque s'en aller à Québec Amérique, j'étais conscient du fait que je le perdrais tôt ou tard comme auteur. Je me doutais aussi que Gérard Bessette l'y suivrait puisque les deux se portaient mutuellement une grande amitié, ce qui n'était pas le cas entre l'auteur d'*Une littérature en ébullition* et moi. Bessette s'était beaucoup intéressé à mes premiers romans, comme professeur au collège militaire de Kingston et comme critique, sans doute le premier au Québec à interroger sérieusement la sexualité en littérature. Dans *Trois Romanciers québécois*, il m'avait mis en belle place entre Gabrielle Roy et André Langevin, puis m'avait manifesté le désir de correspondre avec moi. J'étais trop pris par tout ce que j'avais à faire pour donner suite à l'invitation de Bessette, sans compter que j'ai toujours détesté écrire des lettres au point de ne pas répondre souvent à celles que je reçois, même aux plus lumineuses d'entre elles. Quand je le signifiai à Bessette, il continua à me harceler de ses avances, mais autrement, me demandant plusieurs fois d'aller à Kingston rencontrer ses étudiants. Devant son insistance, je finis par accepter et par prendre le train pour le collège militaire de Kingston. Je n'y arrivai jamais : lorsque le train s'arrêta devant la première gare en pays ontarien, j'en descendis pour prendre une grande bolée d'air et oubliai d'y remonter ! J'y vis là le signe que Kingston et Bessette n'étaient pas pour moi et rentrai aussitôt à Montréal, sans même téléphoner à Bessette au collège militaire de Kingston afin de le prévenir. Il ne me le pardonna jamais, et d'autant moins qu'il me savait très lié avec Jacques Ferron dont il avait été l'ami au point de lui avoir demandé d'agir en tant que père à son mariage avec une infirmière de l'Ontario. Avec son ironie coutumière, Ferron me parlait parfois du Bessette qui lui rendait visite à l'hôpital Louis-Hippolyte-Lafontaine et des interviews qu'il y faisait avec des patientes, toujours dans le domaine qui le fascinait, celui de la sexualité. Après que Radio-Québec eut diffusé un portrait de Bessette, le montrant devant le château d'eau de l'asile de Longue-Pointe, Ferron lui dit qu'il avait l'air d'un vrai codingue, digne non pas du grand professeur qu'il était, mais d'un échappé de la salle Saint-Joseph. En voyant Bessette dans un lancement auquel nous assistions tous les deux, je ne pus résister à la tentation de lui rappeler cet épisode en y ajoutant, bien sûr, quelques fioritures de mon invention ; et Bessette, qui manquait totalement d'humour, le prit fort mal. Ferron et moi, nous devînmes les têtes de Turc de son roman *Le Semestre*. Ça aurait pu être drôle, sauf que Bessette était trop constipé pour avoir ce talent-là. Son livre donnait donc dans l'apitoiement, le ressentiment et la niaiserie. Imaginez ! Pas moins de trois cents longues pages du genre de :

Sans doute Butor-Ali Nonlieu avait-il décrit trop tôt sa polio originelle et son inquiétude féminoïde car après une montée littéraire météorique culminant dans Jos Connard *et* Les Aïeux, *sa production romanesque s'était peu à peu transformée en une visqueuse-pénible logorrhée dont* L'Enfer de Québec *du docteur écossais Jack MacFerron lui avait fourni le néfaste paradigme (mais Omer Marin se sentait incapable de lui rendre visite dans le cabanon de Longue-Pointe où en se frappant la tête contre les murs le triste MacFerron se prenait tour à tour pour Dieu le Père et Maître Frank Scott).*

Ferron répliqua méchamment à Bessette en lui disant qu'à défaut de pouvoir manger les corps consacrés du Père et du Fils que nous avions été pour lui il en était rendu, par manque d'ironie, à se contenter, par La Rocque interposé, de grignoter de la retaille d'hostie comme le vieux et radoteux Saint-Esprit qu'il était devenu.

Par amitié pour La Rocque, je ne lui parlai jamais de Bessette. Il est vrai que nous ne nous fréquentions plus guère, lui submergé par son travail à Québec Amérique et moi écrivant mon nouveau feuilleton *Race de monde* tout en continuant de faire mon métier d'éditeur. La nuit, je rognais sur mes heures de sommeil pour pourchasser la baleine Moby Dick dans les mers du Sud, en compagnie d'Ismaël, de Quequeg et du capitaine Achab. Contrairement à Balzac qui prévoyait mourir pour avoir ingurgité cent mille tasses de café en trop, je me stimulais au whisky, ce qui me permettait de faire des marathons d'écriture dont certains ont dépassé les trente heures consécutives. À force de les répéter, j'en arrivai malgré moi à négliger les opérations de la maison d'édition, que mes cachets obtenus grâce à *Race de monde* réussissaient à garder à flot en comblant les creux d'une trésorerie souvent à sec. Quand je remontais de mes longues séances d'écriture, c'était pour me retrouver aux prises avec des imprimeurs qui me menaçaient de ne plus fabriquer mes livres ou des auteurs chialant après moi parce qu'ils prétendaient que je ne m'occupais pas suffisamment d'eux. J'entrais alors dans un état de grande fébrilité et partais à la recherche d'un manuscrit susceptible de regarnir une cassette qui se vidait aussi vite que je la remplissais.

C'est ainsi que je publiai le *Louis Cyr* de Ben Weider, un ouvrage qui avait été édité à la fin des années quarante et dont plus personne n'avait entendu parler depuis. Les succès remportés par les haltérophiles aux Jeux olympiques de Montréal avaient relancé le mythe des hommes forts québécois, dont celui de Louis Cyr considéré comme le plus puissant leveur de poids à avoir jamais vécu. Son énorme réputation avait même traversé le rideau de fer des pays communistes et une grande photo de lui en pleine action figurait en bonne place dans le hall du Palais des sports de Moscou. Je demandai à Weider l'autorisation de rééditer son livre, mais en le revampant d'un grand nombre de photos et d'illustrations que j'avais obtenues du petit-fils de Louis Cyr. Weider fit bien davantage qu'accepter ma proposition, car il renonça à ses droits d'auteur, me disant :

« Si cela vous permet ainsi de publier davantage de jeunes auteurs québécois, je serai satisfait. »

Louis Cyr, l'homme le plus fort du monde devint le premier best-seller de VLB éditeur. Le lancement eut lieu durant le Congrès international des culturistes qui se tenait au centre Paul-Sauvé sous la présidence de Monsieur Univers lui-même, nul autre qu'Arnold Schwarzenegger. Installé avec Ben Weider en plein milieu du hall du centre Paul-Sauvé, je passai deux jours dans une étrange surréalité, Weider me demandant de signer après lui son *Louis Cyr* que lui achetaient Américains, Russes, Coréens et Australiens même s'ils ne savaient pas un mot de français. Je fus présenté à Schwarzenegger, un homme plutôt gêné du haut de ses six pieds sept pouces et de la montagne de muscles qui lui tenait lieu de corps. Il faut dire que Schwarzenegger n'avait pas encore épousé une riche héritière du clan Kennedy et que Hollywood ne pensait pas à lui comme star du grand écran. D'où sa modestie sans doute et la familiarité toute simple qu'il avait envers moi, que j'eus le plaisir de retrouver une autre fois à Bruxelles alors que, m'y rendant pour la tenue d'un

Salon du livre, le hasard me fit débarquer dans un hôtel occupé par la plupart des culturistes dont j'avais fait la connaissance au centre Paul-Sauvé. Je connais quelques éditeurs de mes amis dont l'étonnement fut grand de me voir petit-déjeuner entouré ainsi de plantureuses culturistes à côté desquelles j'avais l'air, je dois l'admettre, d'une caricature d'humanité !

Le succès presque inespéré de *Louis Cyr* ne pouvait suffire à lui seul à colmater toutes les brèches financières par lesquelles coulait inexorablement VLB éditeur. Ben Weider me proposa alors d'éditer un ouvrage dont il venait de terminer la rédaction, qui remettait en cause la mort de Napoléon, assassiné selon lui par empoisonnement. Il me dit que le *Sélection du Reader's Digest* allait en publier un condensé et que le grand acteur américain Jack Nicholson voulait en acheter les droits cinématographiques. Si je publiais l'ouvrage, Weider était prêt à me céder la moitié des sommes perçues sur le condensé et le projet de film de Nicholson. Je proposai la chose à mes camarades fondateurs de VLB éditeur qui ne crurent pas vraiment au sérieux de Weider tout en voyant d'un mauvais œil que la maison puisse s'éloigner, ne serait-ce que pour un seul ouvrage, de sa stricte politique éditoriale. J'en avisai Weider, qui confia son manuscrit à Robert Laffont et en vendit trois cent mille exemplaires à travers le monde ! Le condensé sur le livre de Weider parut même en langue chinoise et, dans sa seule version américaine, rapporta cinquante mille dollars à son auteur. Quant à Jack Nicholson, il acheta effectivement les droits cinématographiques de *Qui a tué Napoléon ?* pour cent vingt-cinq mille dollars !

C'est après cette malheureuse histoire pour VLB éditeur que j'en devins l'unique propriétaire. Après tout, j'étais le seul à y travailler vraiment et le seul à y investir régulièrement, ce qui rendait légitime mon besoin d'avoir les coudées franches. On parlait alors d'un rassemblement des éditeurs dits littéraires en vue de créer une maison de distribution qui serait mieux en mesure de défendre nos intérêts en librairie que celles qui se chargeaient alors de nos affaires, dans un fonctionnement inapproprié pour le genre de livres que nous mettions sur le marché. Je me fis tirer l'oreille parce que je n'étais pas convaincu que les Messageries littéraires, du moins dans un premier temps, nous permettraient vraiment d'améliorer notre situation. Je me méfiais surtout d'Alain Horic et de Gaëtan Dostie qui étaient loin d'être des phénix comme gestionnaires et même comme simples éditeurs, le premier se faisant bien mollasson à l'Hexagone et le deuxième ayant les yeux trop grands pour la petite panse qu'était devenu Parti pris après l'entrée de Gérald Godin en politique. Si j'acceptai finalement, c'est que les pouvoirs publics en faisaient une condition *sine qua non* pour financer la nouvelle entreprise.

Comme on peut déjà s'en douter, ce fut un désastre. Le directeur des Messageries était un ex-alcoolique qui succomba très vite, faute d'encadrement, sous le poids du travail à faire. Par peur d'être jugé trop sévèrement, il prit le parti d'escamoter les problèmes plutôt que de les résoudre, faisant d'eux de petits amas de papiers qu'il empilait dans les tiroirs de son bureau afin de mieux les oublier. Aucune information venant de lui ne pouvait être considérée comme certaine, et surtout pas quand il s'agissait des livres que nous avions véritablement vendus. Les choses étaient loin de s'améliorer lorsque Dostie et Horic s'en mêlaient, leur rêve de donner naissance eux aussi à un Gallimard québécois leur faisant prendre trop souvent leurs vessies pour des lanternes. Après seulement quelques mois d'activité des Messageries littéraires, je risquais encore de passer dans le grand tordeur de la faillite en dépit des dollars que j'investissais grâce aux cachets reçus pour mon *Race de monde*. Je devais cent mille dollars à mes imprimeurs dont l'un aurait bien aimé que je lui cède ma maison dans l'intention, à peine inavouée, de la refiler à Gérard Leméac qui, rêvant comme Dostie et Horic de devenir un Gallimard québécois, publiait tout ce qui pouvait prendre la forme d'un livre, peu importe ce dont ça parlait et comment ça en parlait.

Il me fallait donc accoucher rapidement d'une idée géniale et susceptible de devenir un livre dont je vendrais suffisamment d'exemplaires pour acheter la paix avec mes imprimeurs. Je pris de longs bains en me disant que si Archimède avait découvert le principe qui porte son nom en se submergeant les pleumats dans l'eau, je pourrais peut-être y trouver comment faire venir le best-seller qui me sauverait de la faillite. Mais quand je suis dedans, l'eau ne m'inspire pas grand-chose, sinon le dégoût de toute pensée se forçant afin de devenir agissante. Valait mieux pour moi m'en tenir à ce vieux fauteuil qu'il y avait devant le foyer dans mon soubassement, au cigare et au verre de gros gin dont je me faisais cadeau quand ma pensée se faisait traînante après une harassante séance de travail. Tout en sirotant mon verre et en tirant sur mon cigare, je laissais mes yeux courir sur les rayons de ma bibliothèque de collectionneur, me demandant si parmi tous ces vieux ouvrages, il n'y en aurait pas un que je pourrais rééditer et en obtenir autant de succès qu'avec les *Relations des Jésuites* que j'avais convaincu Jacques Hébert de sortir de leurs boules à mites.

C'est ainsi que je tombai sur *Le Parler populaire des Canadiens-Français*, un glossaire publié au début du vingtième siècle par le médecin-géographe Narcisse-Eutrope Dionne. Bien que d'une grande importance historique, l'ouvrage avait malheureusement trop mal vieilli pour justifier que je le remette tel quel sur le marché. Je feuilletai alors le *Dictionnaire Canadien-Français* de Sylva Clapin, insatisfaisant lui aussi parce que rendant compte d'un langage souvent tombé en désuétude. Le *Glossaire* d'Oscar Dunn souffrait du même défaut et celui d'Étienne Blanchard aussi. À dire vrai, tout se passait comme si l'étude de notre langue s'était arrêtée avec le début du vingtième siècle puisque, après cette époque, seul Louis-Alexandre Bélisle avait, dans son *Dictionnaire de la langue française au Canada,* tenté de faire le point sur notre parlure. Mais après vingt-cinq ans d'usure, l'ouvrage datait lui aussi parce que trop tributaire des normes d'une société traditionnelle pour laquelle tout québécisme ne pouvait être que familier, donc vulgaire et à proscrire. Nous manquions donc d'un ouvrage qui, tout en prenant le meilleur dans tous ceux qui avaient déjà été publiés, rendrait compte aussi de la modernité inventive des Québécois. Où trouver un linguiste intéressé à s'atteler à une pareille ouaguine et capable de livrer la marchandise avant le Jugement dernier ?

Je pensai à Léandre Bergeron. S'il n'était pas linguiste, son engagement politique et ses pièces de théâtre sur notre histoire en avaient fait un radical défenseur de la langue québécoise. Dans son McWatters d'adoption, il devait bien s'ennuyer un peu à soigner ses chèvres, à tondre ses moutons et à faire peur aux ours noirs envahissant ses pacages. Je lui téléphonai et lui demandai de venir me voir à Montréal-Nord. Quand je le mis au courant du projet que j'avais, il s'embarqua aussitôt dedans, y travaillant jour et nuit parce qu'il y avait urgence en la demeure. Six mois plus tard, Bergeron m'apportait un manuscrit de huit cents pages sous forme de fiches. Ne restait plus qu'à le faire imprimer, et rapidement parce que le temps des Fêtes était tout proche et que je comptais sur cette période pour vendre le *Dictionnaire de la langue québécoise*. J'avais toutefois un énorme nœud à dénouer, car aucun de mes imprimeurs ne voulait tirer de ses presses les cinq mille exemplaires du *Dictionnaire* que j'entendais mettre sur le marché si je ne payais pas d'avance la facture de trente mille dollars que la chose impliquait.

Il me restait quelques épisodes de mon feuilleton *Race de monde* à livrer à la Société Radio-Canada. Je fis dans le même avant-midi le tour des institutions financières de Montréal-Nord, exhibant mon fameux contrat afin de soutirer à l'une d'elles les trente mille dollars dont j'avais besoin. Elles refusèrent toutes de me prêter. Découragé, j'entrai à la taverne

Charleroi et m'attablai devant un vieux robineux de ma connaissance pour manger le cigare au chou que j'avais commandé. Il ne me trouva pas très brillant quand je lui racontai mon peu de succès auprès des banquiers de Montréal-Nord et me dit :

« Regarde-toi dans un miroir. T'as les cheveux longs, une barbe à faire peur à Fidel Castro lui-même et t'es habillé comme la chienne à Jacques. Quand on se portraiture comme toi, dix mille piastres c'est le maximum qu'on peut obtenir d'une banque !

– Le problème, c'est qu'il m'en faut trente mille !

– T'es pas fort dans le comptage parce qu'autrement, tu saurais déjà que trois fois dix mille piastres dans trois banques différentes, ça fait exactement la somme que tu cours après elle ! »

J'étais trop en manque d'idées pour ne pas essayer celle de mon robineux. Deux heures plus tard, deux banquiers et un directeur de caisse populaire acceptaient enfin de me venir en aide et Jean-Pierre Gagné d'imprimer le dictionnaire de Bergeron. La fabrication du livre se fit en moins de dix jours, Bergeron et moi en corrigeant les épreuves jour et nuit. Un messager de l'imprimerie Gagné nous en apportait un paquet le matin et un autre le soir, que nous révisions aussitôt, un verre d'alcool à portée de la main. Nous lançâmes l'ouvrage à l'hôtel Iroquois en attisant du mieux que nous pûmes une polémique que de savants linguistes universitaires se chargèrent d'entretenir, frustrés qu'un simple docteur en littérature envahisse un champ sur lequel ils croyaient avoir un droit absolu. Certains d'entre eux prétendaient même que la langue québécoise n'existait pas, sinon comme une infirmité à combattre par tous les moyens. Les médias firent leurs choux gras de cette polémique et, malgré une distribution déficiente du *Dictionnaire*, on en vendit une dizaine de milliers d'exemplaires en seulement quelques semaines. Mal rodées pour répondre rapidement aux demandes qu'elles recevaient, les Messageries littéraires n'arrivaient plus à livrer la marchandise. Bergeron et moi, nous dûmes mettre la main à la pâte, c'est-à-dire prendre les commandes et aller les porter nous-mêmes chez les libraires. Quand le temps des Fêtes vint enfin, nous étions épuisés mais heureux comme des rois mages : VLB éditeur avait de quoi payer ses imprimeurs et Bergeron, dans sa lointaine Abitibi, pouvait enfin terminer la construction de cette grange qu'il bâtissait avec des dormants de chemin de fer.

L'avenir de VLB éditeur étant temporairement assuré grâce au succès phénoménal du *Dictionnaire de la langue québécoise*, j'en profitai pour séjourner quelques semaines à Paris. J'avais gagné le prix France-Québec pour *Monsieur Melville* et Henri Flammarion, qui l'avait édité en France, tenait absolument à ce que j'en fasse la promotion. Je voulais aussi profiter de l'occasion pour passer quelque temps en Bretagne afin d'y achever l'écriture d'*Una* dont les difficultés financières de ma maison d'édition m'avaient éloigné trop longtemps. J'avais hâte de bouquiner le long des quais de la Seine, de fureter dans le Quartier latin, de traverser les jardins du Luxembourg et d'aller piquer une jase avec le vieux mais inusable José Corti. Pour le reste, je me faisais peu de soucis. Mon feuilleton télévisé *Race de monde* étant terminé, je pouvais enfin me consacrer totalement aux affaires de mon Père, pour ne pas dire aux miennes tout simplement.

Neuf

Trente ans après avoir envoyé une lettre à Gabrielle Roy pour l'informer de son intention de publier *Bonheur d'occasion*, Henri Flammarion m'en faisait parvenir une dans laquelle il me disait avoir lu mes livres et aimé quelques-uns d'entre eux au point de vouloir les éditer à Paris. Depuis la parution des *Grands-pères* chez Robert Laffont et de *Jack Kerouac* à L'Herne, j'avais cessé de m'intéresser à la diffusion de mes ouvrages en Europe, par manque de temps d'abord et aussi parce que je n'y voyais pas grand intérêt. Grâce à Raymond Chamberlain qui les traduisait, mes livres étaient désormais vendus au Canada anglais et aux États-Unis et je n'en demandais pas davantage. J'étais satisfait de recevoir parfois un mot d'un lecteur d'Espagne, de Colombie ou d'Australie, qui m'apprenait avoir lu *Jack Kerouac* ou *Monsieur Melville* et y avoir fait bonne voyagerie. Quand je répondais à mes lecteurs, c'était pour leur parler plus de Jacques Ferron que de moi, dans l'espoir de faire connaître son œuvre à l'étranger, ce qui s'avéra beaucoup plus difficile que je ne l'aurais cru, surtout auprès des éditeurs. Je leur envoyais plein d'ouvrages de Ferron, accompagnés de belles lettres dans lesquelles je prenais sa défense et faisais son éloge, mais ce n'étaient jamais que des coups d'épée dans l'eau : je ne recevais même pas en retour un simple avis de réception !

C'est donc sans illusion que je me retrouvai en 1977 à Paris afin d'y promouvoir la sortie de *Blanche forcée*. Je me pointai rue Racine sans prévenir et dis à la réceptionniste que je voulais voir Henri Flammarion. Elle me regarda comme si elle avait eu affaire à un extraterrestre. Je ne savais pas encore que M. Flammarion ne recevait guère les auteurs qu'il publiait, un réseau tissé serré de directeurs littéraires et de conseillers s'en chargeant pour lui. Quand la réceptionniste, lassée de mon insistance, se décida enfin à le prévenir de ma présence, l'air arrogant qu'elle afficha me donna le goût de prendre la porte. Si je ne l'ai pas fait, c'est que M. Flammarion sortit aussitôt de son bureau, s'approcha de moi et me donna l'accolade, accueil dont la réceptionniste sembla aussi étonnée que moi. Par dérision, je lui fis un vilain clin d'œil avant de suivre mon nouvel éditeur jusqu'à son antre sacré. M. Flammarion m'offrit des amandes et un verre de bourbon, me parla de mes livres, y compris les premiers, qu'il avait lus assez attentivement pour se les rappeler et m'en donner avis. Je fus tout de suite conquis par ce vieil homme séduisant qui aimait bien blaguer tout en racontant de pissantes anecdotes sur un milieu littéraire qu'il connaissait comme le fond de sa poche. En retour, il apprécia l'énergie que je mettais dans tout ce que j'entreprenais et la curiosité qui donnait corps à cette énergie-là.

J'ai fréquenté ainsi Henri Flammarion pendant les quatre ans où je me suis considéré comme un auteur de sa maison, y faisant éditer *Blanche forcée*, *Don Quichotte de la Démanche* et *Monsieur Melville*. J'avais exigé et obtenu de lui de ne pas être publié dans la collection « Blanche », celle des auteurs français, mais dans la collection « Connections », vouée à la traduction d'œuvres étrangères. On y trouvait Kérouac, William Burroughs, Virginia Woolf et Per Olov Enquist, ce qui m'excitait bien autrement que de partager les rayons d'une bibliothèque avec Guy des Cars et Nicole Avril. Chez Flammarion, évidemment, personne n'était d'accord avec l'idée que je défendais, celle d'une littérature québécoise qui, tout en étant francophone, ne voulait plus être inféodée à celle de l'Hexagone. Malgré une langue à peu près commune, nous n'étions pas français et ne tenions pas à passer pour tels. Le problème, c'est que la collection « Connections » était peu lue en France. Les ouvrages qu'on y publiait connaissaient de faibles tirages et n'obtenaient guère de visibilité dans les journaux et la presse électronique, qui parlaient prioritairement des auteurs français, ce qui était tout à fait naturel. Les journalistes que je rencontrai à l'occasion du lancement de *Blanche forcée* furent unanimes à décrier ce qu'ils appelaient un nationalisme de mauvais aloi de ma part. Je me fis même vertement engueuler par certains d'entre eux, si chauvins que c'en était désespérant. Ça explique sans doute pourquoi *Don Quichotte de la Démanche* et *Monsieur Melville* furent publiés hors collection, ce que je trouvai d'une grande pertinence symbolique : ne voulant plus être perçu comme français, je me retrouvais dans les limbes culturelles, aussi bien dire inscrit nulle part dans la modernité, tel le semblant de pays que j'habitais.

Je n'en persistai pas moins à vouloir dépendre du département étranger de Flammarion, que je trouvais infiniment plus dynamique que le français, probablement parce que n'y travaillaient que des femmes, qui voyageaient partout dans le monde contrairement à leurs collègues, tous des hommes, de la section française. Je prenais plaisir à fréquenter les traducteurs de Bainbridge et de Ritsos, de Sciascia et de Gangemi, de même que les auteurs sud-américains que la dictature avait chassés de leurs pays et qui tentaient, en France ou en Espagne, d'oublier en écrivant les tortures et les mutilations dont ils avaient été les victimes. Le temps qui me restait, je le passais avec M. Flammarion que j'allais rejoindre à son bureau en fin de matinée et avec qui j'allais déjeuner dans l'un ou l'autre de ces petits restaurants gastronomiques qu'il y avait à proximité de la rue Racine. Je l'écoutais me parler des commencements de Flammarion en ce début du vingtième siècle, sur la place de l'Odéon qui était alors un véritable champ de foire, les livres voisinant les bottes de carottes et les gigots d'agneau, des artistes comme Chagall et Matisse y troquant leurs premières toiles pour une cuisse de poulet, une bouteille de rouge ou quelques francs. Quand il parlait de son père, M. Flammarion était toujours d'une grande émotion. Le bureau qu'il occupait dans la maison d'édition avait longtemps servi d'appartement à son père qui avait même tenu à y mourir par cette fidélité qui le retenait à ses difficiles débuts d'éditeur. Comme Goethe, M. Flammarion gardait en mémoire la pauvreté de ses origines. S'il ne pesait pas tous les jours le sucre et le sel qu'on consommait chez lui, il avait horreur de tout ce qui se dépensait pour rien et de ceux pour qui le gaspil était une habitude.

Le professeur Henri Laborit, devenu un auteur à succès grâce à son essai *La Nouvelle Grille*, avait cette réputation de jeter par les fenêtres son argent et celui de ses éditeurs. Je pensai longtemps que si M. Flammarion haussait les épaules toutes les fois que je lui parlais du biologiste-écrivain, c'était pour de pitoyables histoires d'argent. Pour ma part, j'aimais bien Laborit que j'avais connu durant l'un de ses voyages à Montréal et avec qui, depuis, j'étais resté en contact. La biologie avait failli être mon métier et je ne pouvais m'empêcher de lire ce qu'elle proposait de neuf pour l'évolution de l'homme. Laborit répondait aux questions que je me posais sur le cerveau, d'où le plaisir que je prenais à nos conversations.

Un jour, M. Flammarion me proposa d'aller manger avec lui en me faisant accompagner par un invité de mon choix, et je suggérai Laborit. En homme bien élevé, M. Flammarion se contenta de froncer les sourcils avant de téléphoner au célèbre professeur qui vint nous rejoindre devant le 26, rue Racine. M. Flammarion n'allant jamais déjeuner sans sa secrétaire particulière, nous fûmes donc quatre à marcher vers les quais de la Seine. Laborit et la secrétaire allaient devant, M. Flammarion et moi, nous suivions. Je trouvais Laborit un brin familier avec la secrétaire, surtout pendant le repas alors qu'il ne cessait pas de lui prendre les mains ou de la bécoter, mais ce n'était pas la première fois que je le voyais ainsi faire du charme et je ne m'en formalisai guère.

Sur le chemin du retour, Laborit et la secrétaire marchaient toujours devant et, le vin rouge aidant, mon professeur de biologie y allait plus vigoureusement dans le bécotage. M. Flammarion me prit le bras et me murmura à l'oreille :

« Un homme de son âge, quelle inconvenance ! »

C'est alors que je me souvins que Laborit avait publié ses premiers ouvrages chez Flammarion avant de courtiser Robert Laffont. Quand je lui demandai pourquoi il avait cessé de l'éditer, M. Flammarion me fit cette réponse :

« J'aime bien les auteurs mais quand ils en sont rendus à corriger les épreuves de leurs ouvrages sur les taies d'oreiller de mes secrétaires, je ne suis plus d'accord ! »

J'en tirai la leçon que les brouilles entre éditeurs et auteurs n'avaient pas toujours la littérature comme motif et qu'on préférait généralement en escamoter les causes véritables, obéissant ainsi à une loi non écrite du milieu. J'aurai l'occasion de l'expérimenter moi-même avant de me retirer de VLB éditeur, mais ce n'est pas encore le moment de m'en confesser, mon séjour à Paris me réservant encore quelques surprises.

Plusieurs mois auparavant, Clara Malraux m'avait fait parvenir un message par l'une de ses correspondantes de Montréal. En visite au Québec, elle avait acheté certains de mes ouvrages, les avait lus et sans doute aimés puisqu'elle m'invitait, si je passais par Paris, à prendre le café avec elle. Je n'étais pas certain de vouloir profiter de son hospitalité parce que je ne la connaissais pas, sinon pour savoir qu'elle avait été la femme d'André Malraux, qu'elle était la belle-mère du cinéaste Alain Resnais et qu'elle publiait depuis plusieurs années son *Journal* chez Grasset. Ce sont les femmes du département étranger de Flammarion qui m'exhortèrent à lui téléphoner, m'apprenant du même coup l'importance de Clara Malraux dans le milieu littéraire parisien.

Je fus reçu une première fois à déjeuner chez elle, dans un appartement dont on aurait pu se servir comme musée tellement y abondaient les splendides tapisseries persanes, les vases étrusques, les toiles de grands maîtres et les masques africains. Clara Malraux était une toute petite et vieille femme dont le profil rappelait celui de Golda Meir, la chef du gouvernement israélien. En m'en rendant compte, je compris pourquoi elle s'intéressait à moi. Comme le libraire William Wolfe et comme Ben Weider, elle avait vu dans mon prénom Lévy une quelconque ascendance juive et cela l'avait déterminée à me venir en aide. Bien qu'embarrassé par la situation, je ne fis rien pour remettre les pendules à l'heure. J'aimais le charme que Mme Malraux dégageait et sa façon toujours très subtile de manier l'ironie, et je pensai que Voltaire avait dû connaître le même sentiment envers les riches douairières qui lui chatouillaient la vanité.

Quelques jours après cette première rencontre, Clara Malraux organisa pour moi un cocktail. Tout l'establishment juif littéraire de Paris s'y trouvait et ce fut le directeur du *Figaro* qui me ramena à mon hôtel, m'ouvrant la portière, me tapant de la main sur l'épaule et me disant :

« Désormais, nous allons vous suivre, jeune homme ! Vous pouvez compter sur nous. »

Je ne cherchai toutefois pas à profiter de l'ambiguïté dont mon seul prénom était responsable. Je sympathisais alors beaucoup avec le peuple palestinien, trouvant inacceptable l'occupation d'une partie de son territoire par l'État hébreu qui, en plus de ne plus vouloir en partir, y envoyait plein de colons juifs avec la bénédiction du grand Satan américain. Je me contentai de revoir Clara Malraux à chacun des voyages qui m'amenaient à Paris. Même si je ne la prévenais pas d'une activité à laquelle je devais participer en tant qu'auteur, elle s'y présentait toujours, s'assoyant le plus près possible de moi, sa canne sur les genoux. Jean-Pierre Faye, de la revue *Tel Quel*, l'accompagnait parfois, ce qui me donnait l'occasion de parler de James Joyce dont nous étions tous deux de fanatiques lecteurs.

La dernière fois que je vis Clara Malraux, ce fut à la remise du prix France-Québec à la maison de la Délégation culturelle du Québec à Paris. C'était à quelques jours seulement du premier référendum sur notre indépendance nationale et les gens de la Délégation étaient dans un état de surexcitation pas ordinaire. Comme le voulait l'usage, je devais dire quelques mots à la fin de la cérémonie pour remercier le jury du prix d'avoir bien voulu me lauréatiser. J'avais écrit mon laïus à la main et, parce que je voulais en remettre le texte aux journalistes, je me rendis très tôt aux bureaux de la Délégation dans l'intention d'y taper à la machine ma courte allocution et d'en faire des photocopies. Je n'étais pas au mieux avec les fonctionnaires qui nous représentaient à Paris, à cause d'une chicane qui les avait opposés aux éditions Flammarion pour des *Monsieur Melville* qu'ils avaient voulu obtenir gratuitement mais qu'on tenait, rue Racine, à leur facturer. Les deux parties s'étant entêtées, chacun dans sa chacune, je n'eus pas droit à voir mon livre exposé dans la grande vitrine de la Maison du Québec, et aucun exemplaire ne serait remis à la presse le soir de la cérémonie. J'essayai de voir Yves Michaud, qui était alors le délégué général, mais la proximité du référendum lui donnait bien d'autres chats à fouetter. De mauvais poil, je me rabattis sur des fonctionnaires qui me firent la sourde oreille. Quant à mon allocution, ils tenaient à en lire le contenu avant de m'autoriser à la photocopier. On se méfiait de moi parce que je n'étais pas un laudateur de René Lévesque et que j'avais manifesté publiquement mon désaccord sur la formulation de la question référendaire. Je refusai de donner mon texte à lire. Même si je n'étais pas d'accord sur le comment du référendum, je n'avais aucune propension à l'imbécillité et pas du tout l'envie de me servir d'une tribune à l'étranger pour marquer ma dissidence. J'étais québécois avant tout et profondément patriote. Le fait qu'on en doutait à la Délégation m'ulcéra et je faillis ne pas m'y présenter pour la remise de mon prix. Il y vint peu de monde de toute façon et pas un seul journaliste. Ils seraient pourtant tous au cocktail que donnait ensuite la Délégation, ce qui m'étonna suffisamment pour que je m'en informe auprès de Jacques Cellard, chroniqueur littéraire au journal *Le Monde*. Il me dit :

« Je serais venu si on m'avait invité, mais personne ne m'a averti qu'il y aurait quelque chose avant le cocktail. »

Frustré, je quittai les lieux au milieu du party et allai manger une bouchée avec Jacques Cellard. Il avait écrit un long article fort chaleureux en première page du *Monde littéraire*, y comparant mon livre sur Melville à *L'Idiot de la famille* de Jean-Paul Sartre. Après avoir lu son texte, je voulus faire sa connaissance, ce que M. Flammarion me facilita en invitant Cellard à déjeuner avec nous. Cellard n'était pas qu'un simple journaliste, il était un linguiste réputé se passionnant pour la langue verte. Il travaillait depuis plusieurs années sur un dictionnaire qui en rendrait compte. Nous passâmes de bons moments à échanger de pittoresques propos, lui en verlan et moi en joual. Nous devînmes très rapidement amis au point que j'en oubliai la Bretagne et me rendis plutôt à Soissons où je passai une dizaine de jours chez Cellard. Nous nous livrâmes à un véritable marathon d'écriture, lui dans son dictionnaire sur la langue verte et moi à peaufiner mon roman *Una*. Nous nous levions au chant du coq et travaillions jusqu'à dix heures avant de boire une première flûte de champagne. Ainsi ravigotés, nous besognions ensuite jusqu'à treize heures avant de nous arrêter de nouveau pour le déjeuner. Les après-midi et les soirées ne faisant que répéter l'organisation de nos matinées, nous ne mîmes pas de temps à nous avancer, chacun dans sa chacune. La fenêtre de la chambre où je travaillais donnait sur la vieille église de Soissons, ouvragée comme une sculpture gothique, ce qui convenait tout à fait bien à l'univers onirique de mon roman, à la Mère très cochonne du royaume des morts, en l'occurrence une formidable truie mangeuse d'enfants qui en était le personnage principal.

Entre nos intensives séances d'écriture, je questionnais Cellard sur la pratique de l'édition française et sur les difficultés auxquelles se heurtait la littérature québécoise pour s'y faire une place autrement qu'événementielle. Me rappelant ce qui s'était passé à la Délégation du Québec à Paris, Cellard critiqua sévèrement la représentation que nous nous donnions à l'étranger, férue de chansons et de spectacles, mais absolument nulle dans le champ littéraire :

« Comment ces gens-là pourraient-ils agir avec efficacité quand le dernier roman québécois qu'ils ont lu est *Bonheur d'occasion* de Gabrielle Roy ? »

Sur le coup, je pensai que Cellard devait bien exagérer un peu, mais plus tard, en participant au Salon du livre de Bruxelles, je fus bien obligé de constater qu'il avait raison. C'était l'année qu'Anne Hébert remporta le prix Femina pour son roman *Les Fous de Bassan*. Elle était l'invitée d'honneur du Salon et devait y faire une séance de signatures. Une heure avant son arrivée, il n'y avait pas un livre d'elle au stand du Québec ! Raison donnée par le responsable du stand ? Anne Hébert dédicaçant son livre aux Éditions du Seuil, quel intérêt de l'avoir aussi dans le stand du Québec ? Au souper donné ensuite par Jean-Paul L'Allier, alors délégué général du Québec à Bruxelles, ce fut tout aussi pitoyable. Si M. L'Allier leva son verre et parla à n'en plus finir, ce ne fut pas d'Anne Hébert et de son œuvre, mais de sa femme si courageuse qui allait accoucher sans lui à Québec, preuve définitive du dur métier que c'était là d'être un délégué général en terre lointaine ! Malgré ses problèmes de santé, Anne Hébert resta longtemps après le souper. Elle n'osait pas prendre congé de peur d'être accusée d'impolitesse. Lorsqu'elle s'y résolut enfin, je l'excusai auprès de Jean-Paul L'Allier, qui le prit de haut et me dit :

« Mme Hébert a gagné le prix Femina. La moindre des choses qu'elle puisse faire maintenant, c'est de jouer le jeu ! »

En Suisse, où l'on me demanda de participer à la Semaine littéraire de Soleure en compagnie notamment d'Alain Finkielkraut, d'Assia Djebar et d'Ismail Kadaré, on trouvait tous les livres des auteurs invités, de même que les plus représentatifs de leur pays d'origine. Dans l'espace réservé au Québec et au Canada, aucun de mes ouvrages et aucun de Miron, de Ferron et de Beauchemin non plus, les livres de Margaret Atwood, dans leur version anglaise, occupant toute la place, même si elle ne colloquait pas à Soleure. Lorsque j'en demandai l'explication au chargé d'ambassade du Canada, il me répondit :

« C'est bien compliqué et bien long de faire venir des livres du Québec.

– À ce que je sache, Toronto, ce n'est pas la porte d'à côté non plus ! Pourtant, les livres de Margaret Atwood sont là. Pourquoi pas les miens et ceux de mes collègues du Québec ?

– Pour Margaret Atwood, c'est un hasard. On l'a accueillie il y a quelque temps en Suisse et plusieurs livres d'elle nous étaient restés sur les bras. On les a donc envoyés ici à Soleure pour en faire la promotion. »

Je pourrais ainsi multiplier les exemples sur le peu de soin apporté par nos représentants dits culturels à l'étranger. C'était vrai en 1980 et ça l'est encore aujourd'hui. Quand je pense à ce que font de petits pays comme la Roumanie, la Norvège ou l'Irlande pour promouvoir leur littérature à travers le monde, je n'en reviens pas de la mollesse de nos institutions, de leur indifférence et de leur ignorance crasse. Comment voudrait-on que les autres s'intéressent à nos mots quand nous-mêmes nous faisons semblant de ne pas savoir qu'ils existent ? Il aurait fallu agir il y a déjà quarante ans, lorsque la littérature québécoise était en pleine ébullition grâce à Marie-Claire Blais, Réjean Ducharme, Hubert Aquin, Jean Basile et Jacques Godbout. Il aurait fallu faire en France ce que les Français bâtissaient ici : de bons réseaux de diffusion et de distribution chapeautés par des maisons d'édition ayant pignon sur rue comme le Seuil, Gallimard ou Flammarion. Au lieu de quoi, on s'est toujours complu dans l'à-peu-près et dans les initiatives improvisées, que l'on confiait généralement à de joyeux hurluberlus qui, tel le Thomas Déry de la Librairie québécoise à Paris, étaient aussi doués pour vendre des livres que je l'avais été jadis dans le monde des gâteaux et des beignets.

Quant aux éditeurs français, j'ai déjà eu l'occasion de dire que leur intérêt pour la littérature québécoise est du même type que celui qui leur fait publier des auteurs du Maghreb ou de Saint-Domingue. Par tradition, ils tiennent à en avoir les droits exclusifs puisque, sauf exception, c'est dans le pays d'origine des auteurs qu'ils comptent vendre la majorité de leurs livres. Par exemple, pourquoi le Seuil aurait-il édité Jacques Godbout s'il avait d'abord fait affaire avec une maison d'ici ? Ne vendre que cinq cents exemplaires des ouvrages qu'ils ne publient qu'en France, ça n'a rien pour passionner longtemps Gallimard, Grasset ou Flammarion. Ça explique donc que Grasset a abandonné Michel Tremblay après quelques livres seulement, que Gallimard en a fait autant avec Marie-Claire Blais et Flammarion avec Nicole Brossard. De simples coups d'épée dans l'eau d'un fleuve sur lequel on ne peut pas naviguer à contresens.

En 1980, j'étais suffisamment naïf encore pour croire qu'en y mettant de l'entêtement et de la patience, il serait possible de changer un ordre des choses foncièrement inéquitable pour les auteurs et les éditeurs d'ici. Mes valises bourrées des ouvrages de Ferron, Bergeron, Gagnon, Haeck et La Rocque, j'ai fait je ne sais plus combien de fois le tour de tous ceux-là qui, à Bruxelles, à Lausanne et à Paris, avaient comme moi la passion des mots des autres. On me recevait avec cordialité, on me promettait de lire les ouvrages que j'apportais et de m'en faire rapidement commentaires, et puis le temps passait sans que je reçoive le moindre petit mot d'appréciation. Avec M. Flammarion, je parlai de la possibilité de créer une collection en format de poche qui présenterait au public européen nos œuvres les plus importantes, dans tous les domaines de notre effervescence créatrice. Le projet ne devait pas se réaliser, M. Flammarion tombant gravement malade et passant la main à son fils Charles-Henri.

Je n'avais pas beaucoup d'atomes crochus avec le nouveau patron de Flammarion. Contrairement à son père si chaleureux et à l'esprit si vif, Charles-Henri était froid comme un iceberg égaré au milieu de l'Atlantique. Il avait beau se forcer pour paraître avoir un semblant de charme, ça lui réussissait aussi bien qu'une queue-de-pie qu'il aurait mise à l'envers. On aurait dit qu'on le surprenait toujours au saut du lit alors qu'à peine réveillé son cerveau fonctionnait encore à marée basse. Ce n'était évidemment pas une impression défendable puisque Charles-Henri était un garçon extrêmement intelligent et bien préparé à exercer son métier d'éditeur. Il ne le voyait tout simplement pas de la même façon que son père pour qui le succès commercial d'un livre n'était pas une fin en soi, mais la cerise sur le sundae du plaisir. Je crois aussi que le passage de Flammarion à l'informatique représentait pour Charles-Henri un défi autrement plus intéressant que mes élucubrations d'éditeur sur une littérature qu'ici même au Québec on n'avait pas le courage de pleinement assumer. Je n'en voulus pas à Charles-Henri de ne pas triper sur les lumineuses idées que j'avais, sauf que mon entêtement et ma patience étaient à bout. S'il n'y eut pas de rupture comme telle, je cessai tout de même de publier chez Flammarion et me désintéressai totalement de Paris. Marie-Claire Blais trouvait que c'était là une erreur, aussi bien pour mes mots que pour ceux des autres. Elle me dit, un soir que nous faisions la tournée des grands ducs ensemble après avoir siégé comme membres du jury Belgique-Canada :

« Les Français ne traverseront pas d'eux-mêmes l'Atlantique pour te prendre dans leurs bras. Il faut que tu continues de les harceler sans jamais te décourager. »

Elle eut même la gentillesse de me donner les noms de tous ses contacts à Paris en m'autorisant à me servir du sien si besoin était. Je la remerciai pour sa générosité, mais ne suivis pas son conseil. Les affaires de mon Père, que je n'avais pu satisfaire, m'avaient laissé un brin désenchanté, de sorte que je commençais à envisager sérieusement la possibilité de me défaire de VLB éditeur, de quitter Montréal afin de m'en retourner aux Trois-Pistoles y cultiver simplement mon jardin. J'avais vécu cinq ans dans le monde de *Monsieur Melville*, j'avais livré en même temps des milliers de pages sous forme de feuilleton à la Société Radio-Canada tout en éditant une vingtaine d'ouvrages par année. L'indifférence des pouvoirs publics me donnait la nausée, ces syndicats de boutique qu'étaient toujours nos associations professionnelles m'écœuraient, l'envahissement de nos librairies et de nos bibliothèques par de la camelote américaine mal traduite me dégoûtait. Et plus le temps passait, moins les choses s'amélioraient, comme en fait foi cette lettre ouverte que je finis par écrire au ministre des Affaires culturelles du Québec et qui résume bien toutes les crottes que je pouvais alors avoir sur le cœur :

Depuis quinze ans, j'ai fait publier, aux Éditions du Jour, à L'Aurore et à VLB éditeur, quelque chose comme cinq cents ouvrages, presque tous littéraires. À VLB éditeur seulement, Le Piano-trompette *de Jean Basile, qui vient de paraître, constitue le cent cinquantième titre publié depuis huit ans par la petite maison de la grande littérature.*

Personnellement, et depuis quinze ans encore, j'ai écrit une trentaine d'ouvrages, romans, essais et pièces de théâtre. Un certain nombre de ces livres-là sont publiés en France, au Canada et aux États-Unis.

Il me semble donc que je devrais jouir ici d'une certaine crédibilité, en tous les cas en ce qui concerne mon métier d'éditeur. Ça ne paraît pas être le cas, notamment auprès des pouvoirs publics de Québec. Et pour en faire une histoire courte, voici de quoi il s'agit.

Il y a quelques semaines, je recevais du ministère des Affaires culturelles une lettre signée non pas par le ministre comme c'est l'usage, mais par Monsieur Rolland Sasseville, un fonctionnaire, et dans laquelle lettre, on m'annonçait la subvention que le ministère accordait à VLB éditeur pour l'année 1982-1983. Un chèque accompagnait la lettre, au montant de 5 382 $! Eh oui ! Pour avoir publié quelque chose comme vingt-cinq ouvrages littéraires en 1982-1983, VLB éditeur avait droit à cette somme astronomique : 5 382 $! Était-ce une plaisanterie concoctée par la bureaucratie québécoise ? Pour avoir été aux nouvelles et avoir été reçu en audience par Monsieur Clément Richard, force me fut de me rendre à l'évidence : pour les vingt-cinq ouvrages publiés en 1982-1983, c'était bien tout ce que le ministère mettait à la disposition de VLB éditeur... de quoi éditer, et encore, deux plaquettes de poésie !

La chose me parut tellement insultante que je demandai au ministre de bien vouloir consentir à faire réviser le dossier de VLB éditeur. Ce droit, sous le prétexte que les normes étant ce qu'elles sont, il ne pouvait en être question.

Si je vous fais grâce de la rencontre agréable que j'ai eue avec le ministre des Affaires culturelles, il est un point, toutefois, que je dois relever parce qu'il ne peut pas se passer de commentaires. Après avoir admis que la subvention de 5 382 $ accordée par son ministère à VLB éditeur était dérisoire, que m'a donc suggéré Monsieur Clément Richard ? Ni plus ni moins qu'être encore davantage dérisoire... en refusant dorénavant les subventions d'Ottawa ! Voilà, m'a-t-il dit en substance, quelque chose qui bouleverserait les données du problème. « Et si vous étiez quelques-uns à faire front commun là-dessus, je me fais fort au Conseil des ministres d'arracher le morceau. »

On en resterait assommé pour moins que ça et Québec n'aura jamais été aussi bas dans le chantage, la niaiserie, la démagogie et les très méprisables calculs partisans.

Mais au fond, cela pourrait-il en être autrement pour un gouvernement qui, pour avoir tout mis dans le patrimoine et le bâtiment ancien et vide, voudrait que tout le monde y entre, aux sons de notre orchestre national, celui d'une fanfare folklorique de village que dirigent maintenant les nouveaux-gras de ce régime creux, les Gaston Miron de la répétition bienheureuse et les Félix Leclerc de la sagesse insipide ?

Mais au fond, cela pourrait-il en être autrement pour un gouvernement qui, faisant fi du simple bon sens, s'emploie à une ré-

gionalisation culturelle qui relève beaucoup plus de la pathologie bureaucratique et administrative que d'un projet véritable parce que authentique ? Là où nous en sommes rendus, c'est dans une manière de no where *absolu, dans une dislocation de toutes les institutions avec, pour les remplacer, un saupoudrage politique à la petite semaine et à travers tout le Québec, qui ne donne pas grand-chose, sinon de l'aberration pure et simple.*

Tout cela, me direz-vous, était déjà prévisible dès novembre 1976. Tant il est vrai qu'on ne peut rien attendre de bon d'un gouvernement qui a tout fait pour tuer la magie de l'événement et qui, depuis, ne nous donne plus à voir que le désastreux de sa faillite, particulièrement dans le domaine culturel où, par absence de n'importe quelle politique, il s'est carrément mis à la remorque d'Ottawa. Québec ne défend plus rien que ce qu'il y a de médiocre dans le langage politique quand il ne se nourrit plus que de son vide.

Il me semble qu'il est grand temps qu'on dise au moins à ce gouvernement qu'il y a un sacré bout aux vessies de ses lanternes culturelles !

Pour le reste, eh bien ! on se débrouillera et, s'il faut, pour continuer à publier les œuvres que nous aimons, les faire imprimer sur du papier hygiénique, alors nous le ferons. Au fait, Monsieur Clément Richard, combien de rouleaux de papier hygiénique croyez-vous que VLB éditeur pourrait acheter avec vos 5 382 $?

Dix

C'est par sa femme que je connus Jacques Lanctôt. Le monde étant encore plus petit que ce qu'on croit de lui, les beaux-parents de Lanctôt habitaient à quelques pâtés de maisons de la mienne. Il leur arrivait, le soir, de faire une marche sur le boulevard Gouin et je les saluais, même si je ne savais pas qui ils étaient. Les choses en seraient sans doute restées là sans leur fille Suzanne qui, dans le plein de l'été de 1978, me rendit visite. Elle me demanda certains des ouvrages que j'avais publiés parce que son mari, après huit ans d'exil, d'abord à Cuba, puis à Paris, s'ennuyait ferme du Québec et de sa littérature. Felquiste, Lanctôt avait participé à l'enlèvement et à la séquestration du chargé d'affaires britannique James Cross, ce qui avait fait éclater ce qu'on a appelé la crise d'Octobre. Rue des Récollets, on avait gardé Cross prisonnier pendant plusieurs semaines, puis, après avoir obtenu des sauf-conduits pour Cuba, les felquistes de la cellule Chénier avaient libéré le chargé d'affaires britannique.

À Cuba, Lanctôt avait coupé de la canne à sucre et travaillé comme réviseur au journal *Granma* de La Havane. Sans doute désenchanté de constater que l'art de gouverner de Fidel Castro n'avait pas grand-chose à voir avec la surréalité du grand livre de messe marxiste-léniniste, il avait demandé l'asile politique à la France. Depuis, il y vivait pauvrement, dans un HLM de la banlieue parisienne, en compagnie de ces autres déshérités de la terre, Africains pour la plupart, qui n'avaient pu libérer leur pays des Bédel Bokassa et des Idi Amin Dada qui les opprimaient. Désabusé à force de passer la moppe dans des infirmeries ou de torcher des handicapés, Lanctôt avait le moral dans les talons. D'où son besoin de lire autre chose que les ouvrages démodés qu'on pouvait trouver sur le Québec dans les bibliothèques parisiennes. Il m'envoya un petit mot pour me remercier de ma générosité et les choses en restèrent là jusqu'à ce que Robert Lemieux, le courageux avocat des felquistes, me téléphone pour m'apprendre que Lanctôt avait pris la décision de revenir au Québec et, que, en attendant le procès qu'on lui ferait, il espérait obtenir sa libération conditionnelle. Les beaux-parents de Lanctôt avaient déjà accepté de verser en sa faveur une caution de cinquante mille dollars, ce qui, selon Lemieux, ne suffirait pas toutefois à rendre clément un juge sans doute fédéraliste. Lemieux me demandait donc de lui remettre une lettre dans laquelle je m'engageais à embaucher Lanctôt s'il recouvrait provisoirement sa liberté. Il ajouta :

« C'est bien évidemment de la frime et je n'aurai sans doute même pas à m'en servir. Tu n'as donc pas à t'inquiéter pour les conséquences. »

J'écrivis la lettre, la fis tenir à Lemieux et la chose resta effectivement lettre morte jusqu'à l'arrivée de Lanctôt au Québec. Trop nerveux pour conduire une voiture, sa femme et ses beaux-parents me demandèrent de faire le taxi pour eux jusqu'au centre de détention de la rue Parthenais. Lorsque Lanctôt s'y présenta, la garde policière qui l'escortait était si nombreuse et si pressée de le conduire à une cellule que je l'aperçus à peine. J'eus juste le temps d'enregistrer dans ma mémoire que Lanctôt avait de longs cheveux noirs, arborait une imposante moustache stalinienne et marchait les épaules rentrées, comme quelqu'un que le dos fait souffrir.

À la comparution de Lanctôt au palais de justice pour sa demande de libération conditionnelle, sa femme et ses beaux-parents me demandèrent encore d'agir comme chauffeur. Je les emmenais donc rue Notre-Dame et m'assoyais en leur compagnie dans la salle d'audience, écoutant avec eux les passes d'armes qui opposaient Robert Lemieux et Jean-Pierre Bonin officiant comme procureur de la Couronne. Lorsqu'il entrait dans le box des accusés, Lanctôt me faisait un clin d'œil auquel je répondais de même façon. Malgré tous ses efforts pour n'en rien laisser paraître, il était d'une grande nervosité et ne cessait pas de gigoter sur le banc où il devait rester assis durant de longues heures. Le travail du procureur de la Couronne étant de démontrer que Lanctôt avait été un dangereux felquiste qui persistait à ne pas renier les actes qu'il avait commis, le portrait brossé par Bonin n'avait donc rien pour le rendre très sympathique auprès d'un juge, fédéraliste ou pas. La litanie de tout ce qu'on pouvait reprocher à Lanctôt n'en finissant plus de finir, j'en arrivai à me trouver si distrait que je n'entendis même pas mon nom quand Bonin m'appela une première fois à la barre des témoins. Lorsque je réalisai enfin ce qu'on me demandait, je jetai, un brin interloqué, un coup d'œil du côté de Lemieux, mais ne rencontrai que de l'air, l'avocat de Lanctôt ayant pogné le fixe sur le petit amas de papiers qu'il y avait devant lui. J'étais plutôt fâché contre Lemieux qui ne m'avait pas prévenu du fait que ma lettre avait été déposée devant la Cour et que je devrais maintenant la justifier.

Je fis du mieux que je pus, conscient qu'une bévue de ma part serait catastrophique pour Lanctôt. Après tout, je ne l'avais jamais rencontré de ma vie et je ne connaissais presque rien de lui ! Comme je ne pouvais pas l'avouer, je dus me faire aller très vite la jarnigoine afin d'élaborer dans ma tête un petit scénario dont le premier mérite devait être sa crédibilité. Je pouvais prétendre avoir correspondu avec Lanctôt et pouvoir le prouver puisque j'avais gardé la seule lettre que j'avais reçue de lui. Je pouvais confirmer aussi qu'il avait la compétence pour réviser des manuscrits et corriger des épreuves étant donné que c'était ce qu'il avait fait au journal *Granma* pendant son exil à Cuba. Le juge le pensa aussi, qui rendit provisoirement sa liberté à Lanctôt.

Nous fêtâmes l'événement chez les parents de Suzanne dont le père vivait dans un monde qui n'aurait pas mal paru sous la plume de Kafka. C'était un modeste fonctionnaire passant toutes ses soirées et tous ses week-ends dans le sous-sol de sa maison à feuilleter des journaux et des revues dont il découpait les principaux articles qu'il rangeait par sujets dans de gros classeurs, et cela depuis trente ans. Il le faisait sans véritable intention, seulement pour tuer le temps comme d'autres s'y emploient en reconstruisant le *Titanic* ou le pont Jacques-Cartier avec des bâtons de pop-sicle et des cure-dents. Il y avait plein de vieux journaux et de vieilles revues empilés partout, c'était sombre, ça sentait le cani et le moisi, le mégot de cigare et les boules à mites. Tant de travail déraisonné, qu'une mort prématurée allait bientôt abolir brusquement, les classeurs et leur contenu envoyés aussitôt à la dompe !

La remise en liberté de Lanctôt fit la manchette des gazettes canadiennes-anglaises, toutes défavorables à sa cause, à la mienne et à celle de VLB éditeur. Je reçus d'aussi loin que de Vancouver des lettres d'injures empreintes d'un racisme si primaire que c'en était déconcertant. La police dut aussi inspecter à quelques reprises la petite maison que j'avais achetée juste à côté de la mienne et qui servait de quartier général à VLB éditeur, parce que des extrémistes anglophones prétendaient y avoir déposé une bombe afin de me rappeler que je vivais dans *le plusse meilleur pays du monde* et que je n'étais pas digne de m'y retrouver avec eux.

C'est dans cette atmosphère un brin survoltée que Lanctôt se mit à travailler pour moi. Je lui appris ce que je savais de mon métier d'éditeur pendant les quelques mois qu'il fut à mes côtés, un procès rapidement tenu l'envoyant ensuite derrière les barreaux du pénitencier de Sainte-Anne-des-Plaines. Je lui envoyais là des manuscrits à lire ou à réviser et des épreuves à corriger quand je n'avais pas le temps de lui rendre visite. Entre le travail que je lui donnais à faire et celui qu'il accomplissait à la bibliothèque de la prison, Lanctôt mettait une dernière main à *Rupture de ban*, un recueil de textes poétiques sur son engagement politique, sa vie d'exilé à Cuba et à Paris, son mal à l'âme et ses raisons d'espérer :

Huit ans déjà loin des tam-tam du Québec-camarade les hélicoptères volent toujours aussi bas que ce jour-là comme des charognards émasculant la patrie en otage huit ans sans lever de soleil à l'est de ma vie à émonder mes jours écorchés avec pour bancs de neige des pipelines de rêves qui fondent en un lac trouble à deux mille mètres d'altitude là où tu prends ta source ô mon anti-prison mon anti-crépuscule mon atlas.

La poésie militante ne sollicitant plus guère l'esprit des auteurs québécois, je fus content de publier le livre de Lanctôt même s'il ne fit guère parler de lui : nous avons la mémoire courte et la plupart des jeunes chroniqueurs ne juraient plus que par le formalisme que pratiquaient les auteurs de *La Barre du jour*, allergiques à toute revendication politique et à tout discours qui ne prenait pas sa source chez Mallarmé.

À sa sortie de prison, je fus heureux de voir revenir Lanctôt sur le boulevard Gouin, je fus heureux de partager son enthousiasme et toute l'énergie qu'il dépensait pour que VLB éditeur puisse continuer à se tenir la tête hors de l'eau. L'impulsivité de

Lanctôt lui jouait parfois de mauvais tours, tout comme cette curiosité presque morbide qui l'amenait notamment à ouvrir le courrier qui m'était personnellement adressé, ce qui me fâchait parce que Lanctôt manquait naturellement de discrétion et parfois aussi de jugement quand il avait accès à des informations privilégiées. Il pouvait alors tout aussi bien envoyer une lettre d'injures au ministre des Affaires culturelles qu'engueuler vertement quiconque osait critiquer mes actions. Il le faisait évidemment sans m'en avertir, avec les conséquences qu'on peut deviner quand ce sont des fonctionnaires qui se retrouvent en cause. Je n'ai jamais pu le déshabiter totalement de ce défaut-là malgré toute la patience que j'y ai mise. Ça faisait partie intégrante de la personnalité de Lanctôt, comme cette propension à l'hystérie qui se manifestait parfois et le rendait d'une grande fragilité, auprès des femmes particulièrement. Dès que Lanctôt en reluquait une, il ne portait plus à terre et en perdait les pédales de son bécique. Lorsque j'en parlais à Jacques Ferron, il me rappelait que Lanctôt était sans doute devenu révolutionnaire pour oublier que son père avait fraternisé avec le fasciste Adrien Arcand, que sa mère avait vécu dans la domination et la pruderie, ce qui était bien suffisant en soi pour dénaturer n'importe quelle enfance par privation de sentiments.

C'est lorsque Lanctôt me parut prendre plus de plaisir à se retrouver dans l'entourage de ma femme que dans le mien que je commençai à m'énerver. Ça n'allait plus très fort entre elle et moi, nous étions sur le bord d'une autre rupture et les choses étaient déjà suffisamment compliquées pour que quoi que ce soit d'autre ne s'y ajoute. Je n'eus toutefois pas le temps de vider la question avec Lanctôt, un fer à repasser me passant à deux pouces de la tête et allant atterrir sur le capot de la voiture de mon voisin, m'incitant aussitôt à déménager mes pénates et celles de VLB éditeur au centre-ville de Montréal, rue Sherbrooke, en face du parc La Fontaine.

Je n'y fus jamais très heureux malgré les quelques beaux succès qu'y connut VLB éditeur grâce à Pierre Bourgault, à Claude Charron et, pour des raisons qui n'avaient rien à voir avec le commerce, à Marie Laberge et à Denis Vanier. J'avais beaucoup d'affection pour Marie Laberge dont je publiais les premiers ouvrages. Pendant les Salons du livre qui se tenaient à Québec, elle me donnait bénévolement un coup de main à mon stand et s'occupait de mes deux petites filles que j'emmenais alors partout avec moi. J'admirais le front de bœuf que Laberge avait, son inépuisable énergie qui en faisait une grande travailleuse et sa connaissance du théâtre que je pratiquais moi-même mais sans en faire comme elle le centre de ma vie. Quant à Denis Vanier, c'est par Josée Yvon que je m'intéressai à ses *Œuvres complètes*. Je lui avais envoyé un petit mot pour lui dire le plaisir que j'avais pris à lire *Filles-commandos bandées* et *La Chienne de l'Hôtel Tropicana*. Quand elle publia *Travesties-kamikaze*, elle m'en apporta un exemplaire à Montréal-Nord, ce qui lui coûta les yeux de la tête à cause du taxi qu'elle avait pris, qui l'attendit une heure devant la porte avant de la ramener au centre-ville. Josée Yvon était une femme que la souffrance habitait de la tête aux pieds, qui avait connu la misère noire et la crasse de sombres taudis, qui avait offert son corps à des gens qui ne le méritaient pas, qui se défonçait de toutes les façons possibles, souvent pour la seule joie de la provocation et pour oublier elle-même jusqu'à quel point la tenaillait le désespoir :

Ils rebondissent partout, les bas-culottes, les plumes, les pelures, et les tampax dépassent des fenêtres. Dans les draps sales, des puces de chat, des croûtes de pizza, papiers, de la pisse d'une Japonaise, morceaux d'ongles et le sang de bien d'autres filles.

Sans doute à cause de l'affection que je lui portais, Josée Yvon prit ainsi l'habitude de retontir chez moi, parfois pour simplement me remettre une patte de lapin, un tract ramassé rue Ontario ou un bout de poème écrit dans un bar. Elle me parla des problèmes que Denis Vanier avait avec Parti pris qui annonçait la parution de ses *Œuvres complètes* depuis deux ans mais qui, faute d'argent, en retardait constamment la sortie. Bien qu'il n'était que rarement fréquentable, Vanier était à mes yeux un grand poète, celui de la rébellion face à une société déshumanisante et caricaturalement démocratique, sa police matraqueuse, ses institutions dépassées, bref toute cette crasserie dans laquelle il fallait vivre, pauvre et maudit des dieux.

Vanier aurait pu mettre en exergue à ses *Œuvres complètes* les mots qu'Antonin Artaud écrivit quelque temps avant sa mort :

Je n'admets pas
Je ne pardonnerai à personne
D'avoir pu être salopé vivant
Pendant toute mon existence.

Je demandai à Gaëtan Dostie la permission de prendre la relève de Parti pris et de publier l'ouvrage de Vanier dans le cadre du Salon du livre de Montréal. Vanier tenant à tout prix que la chose fût célébrée par un cocktail, je lui en organisai un dans une salle de la Place Bonaventure, qui fut inoubliable. Les deux jours qui précédèrent le lancement devinrent un enfer pour les organisateurs du Salon, Vanier les appelant sans arrêt et les menaçant de tout casser si on ne déroulait pas le tapis rouge pour lui quand il se présenterait à son cocktail. Il y vint en compagnie d'une bande de motards, frappa Gaëtan Dostie qu'il aguissait assez pour vouloir le tuer, fit un pigras de bières renversées dans la salle avant de prendre d'assaut le stand de VLB éditeur, d'en culbuter les étagères et d'abîmer les livres en versant de l'alcool dessus. Léandre Bergeron dut expulser Vanier du stand et le mettre dans un taxi pour pouvoir enfin en être débarrassé.

À sept heures le lendemain matin, Vanier frappait à ma porte, une pinte de whisky à la main. Il venait s'excuser pour son esclandre de la veille et tenait à boire le verre de l'amitié avec moi. J'aimais bien lever le coude, mais ne le faisais jamais aussi tôt le matin, à moins d'avoir passé la nuit sur la corde à linge et d'avoir besoin d'un rince-cochon pour m'en remettre.

Deux heures plus tard, Vanier et moi étions joyeusement paquetés, au point que Lanctôt préféra s'en retourner chez lui plutôt que d'affronter un Vanier parti pour la gloire, ce qui n'avait jamais rien de reposant pour les autres. La fuite de Lanctôt fâcha Vanier qui décida de se venger. Il appela Lanctôt chez lui et lui dit que, dans une crise de désespoir, je venais de me couper les veines des poignets et que je gisais par terre dans une mer de sang !

Je raconte l'anecdote parce qu'elle illustre bien que ma vie n'était pas un long fleuve tranquille quand je la vivais rue Sherbrooke, en face du parc La Fontaine. Elle avait pris la forme d'une spirale vertigineuse, tantôt d'une noirceur absolue et tantôt éblouissante de toute la lumière qui en jaillissait, comme ce soir-là à L'Express où je tombai sur un Pierre Bourgault assis au bar, déprimé et grincheux. Je l'invitai à manger une bouchée, puis, dans l'espoir de lui remonter le moral, je lui parlai de l'importance qu'avaient eu pour moi les innombrables textes qu'il avait écrits sur la nécessité de l'indépendance, la veulerie de nos politiciens et notre lâcheté collective. Au digestif, j'avais convaincu Bourgault de publier en deux volumes l'essentiel de ses *Écrits polémiques*, ce qui fut fait dans les mois qui suivirent, avec un succès dont Bourgault fut le premier étonné.

Sans l'amitié de Bourgault, je n'aurais sans doute jamais édité Claude Charron. C'est lui qui m'informa que l'ex-ténor du Parti Québécois, qui s'était retiré de la politique après avoir volé un coat chez Eaton's, songeait à écrire sa biographie. C'était à la veille de la Foire de Francfort. Ne voulant pas me faire couper l'herbe sous le pied par des éditeurs plus fortunés que moi, j'attendis donc qu'ils s'en aillent en Allemagne pour courtiser Charron. Croyant que les choses se passaient dans le domaine de l'édition comme il en allait en politique, Charron négociait serré, ne venant jamais aux rendez-vous que je lui fixais qu'accompagné par ses conseillers dont l'un, sous-ministre, exhibait avec fierté une calculette électronique sur laquelle il ne cessait pas de pitonner. Petit fait cocasse, ce fut au restaurant La Belle Poule qu'eut lieu la rencontre ultime à la fin de laquelle, après quatre heures de palabres, Charron accepta enfin de signer le contrat que je lui offrais. Je lui remis un chèque de vingt mille dollars en guise de bonus de signature et, saoulé aussi bien par le vin rouge que par l'idée de publier bientôt ce qui serait sûrement un best-seller, je montai dans ma machine et filai tout droit à Montréal-Nord. Bien qu'installé rue Sherbrooke, je faisais toujours affaire avec la même caisse populaire qu'à mes débuts, parce que l'adjoint du directeur me trouvait sympathique au point de tolérer parfois que mon compte soit dans le rouge. Je l'avisai du contrat que je venais de signer et du chèque que je devais maintenant honorer alors que ma trésorerie était à sec. J'étais certain que, dès dix heures le lendemain matin, Charron se pointerait à la caisse pour percevoir son dû. Contre toute attente, l'adjoint du directeur accepta de m'aider : quand je ressortis de la caisse, les vingt mille dollars nécessaires étaient déjà portés au compte de VLB éditeur. Je fêtai malheureusement tout seul ce que je considérais comme un exploit, Lanctôt ayant profité de la journée pour disparaître dans la brume et aucun de mes amis n'étant libre pour m'accompagner dans ma tournée des grands ducs.

Charron partit peu de temps après pour l'Europe, confiant d'écrire son livre en quelques mois seulement. Il y passa tout un automne, tout un hiver et tout un printemps. Quand il me remit enfin son manuscrit, il n'en était pas satisfait, et je lui donnai raison après en avoir pris connaissance. Le problème d'écriture de Charron venait du fait que le politicien n'était pas encore tout à fait mort en lui, ce qui s'exprimait par des métaphores peut-être entendables quand on les hurle du haut d'une tribune en période électorale, mais rapidement lassantes dans leur redondance quand on les commet dans un ouvrage de quatre cents pages. Le temps était maintenant contre nous : les scandales politiques sont une denrée qu'on consomme vite et qu'on oublie tout aussi vitement. L'aveu que Charron faisait de son homosexualité, en quelques lignes par ailleurs émouvantes, arrivait trop tard pour que le lecteur y apprenne là une bien grande nouvelle. Le manuscrit aurait demandé une radicale restructuration, ce qui en aurait reporté la parution à l'automne suivant, avec plus aucune chance d'en faire un best-seller. Il fallait faire rapidement, quitte à tourner les coins rond.

Convaincu par mes arguments, Charron se remit au travail et moi aussi. Je fis même appel à Monique Roy, la dame patronnesse de mes causes désespérées, pour qu'elle assiste Charron dans sa réécriture. Fin mai, le livre paraissait enfin en librairie. Charron en avait trouvé le titre alors qu'il était à Paris et que, sortant de l'appartement qu'il habitait, il avait buté sur une boîte aux lettres qu'un contestataire avait barbouillée du mot *Désobéir* en grosses lettres rouge sang.

Avant les grandes vacances d'été, nous avions tout juste un mois devant nous pour faire un best-seller de *Désobéir*. Charron m'incita à embaucher un attaché de presse politique, car il concevait sa campagne de promotion comme une campagne électorale. Je lui organisai deux lancements le même jour, le premier à Québec et l'autre à Montréal. Nous faillîmes faire celui de Québec sans les livres, car l'imprimeur les avait livrés de nuit au mauvais endroit et il nous fallut des heures avant de mettre la main dessus. La manchette du *Soleil* dont je m'étais occupé la veille du lancement rassura quelque peu Charron. Mal formulée, elle laissait entendre que cent mille exemplaires, rien de moins, seraient vendus de *Désobéir* !

J'arrivai un peu en retard au deuxième lancement qui se tenait à Montréal à l'Union française, dans un déploiement presque obscène de bannières et de grands portraits de Charron. C'est que, de Québec à Montréal, j'avais dû transporter moi-même dans mon vieux station-wagon les exemplaires de *Désobéir*, toujours parce que l'imprimeur les avait envoyés dans un centre de distribution de Sainte-Foy plutôt qu'à l'Union française. Lorsque j'y entrai, Charron ne serrait pas de mains comme je m'y attendais. Réfugié dans la pénombre tout au fond du bar auquel les invités n'avaient pas accès, il boudait le lancement pour des raisons que je cherchai bien en vain à me faire expliquer. Dans la salle, les journalistes, à qui j'avais dit que Charron ferait une intervention susceptible de leur donner une bonne manchette, commençaient à s'impatienter, tout comme Corinne Côté-Lévesque qui était en quelque sorte l'invitée d'honneur du lancement. À force d'insister, je finis par convaincre Charron de me suivre jusqu'au podium sur lequel il monta pour dire un simple petit merci du bout des lèvres et poser le temps de quelques flashs, après quoi il fonça tête baissée vers la porte qu'il prit pour ne plus revenir.

J'avais engagé près de dix mille dollars dans les seuls frais de ce double lancement et l'inquiétante conduite de Charron avait de quoi me laisser songeur. Quelle mouche l'avait donc piqué pour le rendre à ce point marabout ? Je décidai d'en avoir le cœur net et de rendre visite à Charron dans le Vieux-Montréal, ayant un bon prétexte pour le faire puisqu'il devait y célébrer en privé la parution de *Désobéir* et qu'il m'avait invité. Lorsque j'entrai chez lui, il était assis au milieu de ses camarades, flûte de champagne à la main et joint à la bouche, ce qui me laissa croire que sa bonne humeur naturelle lui était revenue. Je n'eus toutefois pas le temps de dire trois mots que Charron se retourna vers moi en me criant bêtement de décabaner. Parce que je voulais en savoir la raison, il devint carrément hystérique, me lança sa flûte de champagne par la tête, se leva et me menaça de s'en prendre à moi si je ne sortais pas aussitôt de chez lui. L'un de ses amis me rejoignit dans la rue des Commissaires et m'expliqua enfin de quoi il en retournait. Après le lancement à Québec, Charron était allé porter un exemplaire de *Désobéir* à un membre important de sa famille qui, en feuilletant l'ouvrage, était tombé comme par hasard sur le passage de l'aveu par l'auteur de son homosexualité. Ce fut le drame, aussi bien pour la famille de Charron que pour lui-même.

Si je pouvais comprendre l'importance que Charron avait accordée à l'événement, mon dépit était trop grand pour que je lui pardonne la violence dont il avait usé à mon endroit. Je refusai de lui parler pendant les trois semaines qu'il sillonna le Québec afin de promouvoir les ventes de *Désobéir*. Son odyssée devait prendre fin à Rimouski, le jour même de la Saint-Jean-Baptiste. Je profitai du congé pour me rendre à ma maison des Trois-Pistoles où je comptais passer l'été à oublier les vicissitudes du métier d'éditeur en me plongeant dans l'écriture. Entre Cacouna et les Trois-Pistoles, je décidai que le temps était venu de faire la paix avec Charron. Surpris de me voir arriver à la librairie Blais où il faisait sa dernière séance de signature, il accepta mon invitation à prendre un verre. Nous vidâmes l'abcès, puis célébrâmes le fait que plus de quarante mille exemplaires de *Désobéir* avaient déjà trouvé preneurs.

Cette difficile expérience me laissa quand même un goût amer dans la bouche et une grande fatigue de corps et d'esprit. Bien sûr, il m'arrivait de faire des bons coups comme éditeur, mais ils étaient trop isolés et jamais assez grands pour assurer à la maison un solide développement. De six mois en six mois, la trésorerie se retrouvait immanquablement à zéro et je devais gaspiller le meilleur de mes énergies et de mon temps à courir après l'argent qui me manquait. J'avais aussi beaucoup travaillé sur l'édition de contes d'Yves Thériault et je me sentais honteux envers lui de ne pas avoir su lui en vendre au moins mille exemplaires. J'étais chagrin pour Jacques Ferron également. Sa mauvaise santé m'inquiétait, qui le forçait à abuser de médicaments, ce qui l'amenait de plus en plus souvent au-delà du miroir, là où son double assassin l'attendait pour le tuer. C'était là tout le nœud du *Pas de Gamelin*, un roman aussi ambitieux que *Le Ciel de Québec*, génial dans beaucoup de ses parties, mais dont Ferron avait fini par perdre le point d'ancrage. Ça ressemblait à une énorme tapisserie pleine de motifs trop disparates pour former véritablement un ensemble. Je passai des semaines à essayer d'y voir clair, d'ordonner autrement cette riche mais trop abondante matière, de trouver dans les blancs de l'écriture les mots que Ferron aurait pu employer pour les combler. Lorsque je crus y être arrivé, je lui demandai audience et, bien que gêné d'avoir à le faire, je lui parlai du retravail qu'un *Pas de Gamelin* réussi allait lui exiger. Ferron me dit :

« Ce livre, je veux le faire et ne pas le faire en même temps. Je l'aime et pourtant je suis plein de répulsion pour lui. Trois pages, c'est le bonheur, puis les trois suivantes, je me retrouve en enfer. Mon *Pas de Gamelin* est un veau infirme. Quand je vous ai remis le manuscrit, j'ai oublié d'y joindre quelques chapitres, preuve que je m'y suis perdu. Je ne suis plus bon qu'à bricoler des historiettes et encore, dois-je les faire de plus en plus courtes. Publiez plutôt *Rosaire*. Ce n'est sans doute pas très bon, mais il fera peut-être illusion sur des gens qui pensent que je suis déjà mort. J'aurai moi-même un tel sentiment. »

Malgré son pessimisme, Ferron n'en considérait pas moins *Rosaire* comme une tentative ultime pour ne pas mourir à l'écriture. Le livre parut et fut accueilli froidement, pour ne pas dire qu'il passa inaperçu. Le glas de la Quasimodo s'était mis à sonner au-dessus du chemin de Chambly que les salicaires avaient déserté, laissant ainsi toute la place à la charrette bringuebalante de la mort.

C'est ce que le métier d'éditeur a de plus douloureux – assister au naufrage des mots des autres, dans une impuissance dont il est impossible de sortir malgré toute la sensibilité et l'affection que vous pouvez y mettre. Ça vous rend vous-même d'une extrême vulnérabilité et totalement inefficace par rapport à ce qui survit. Des mots, les vôtres et ceux des autres, enchevêtrés inextricablement, au point de ne plus savoir qui vous êtes devenu, au point de ne plus savoir pourquoi vous l'êtes devenu.

Seul Jacques Lanctôt était alors assez proche de moi pour comprendre l'espèce de désarroi dans lequel je me tenais et dont je ne sortais plus que par grandes secousses vindicatives, sinon belliqueuses, par poussées brutales d'énergie créatrice, aussi bien pour mes mots que pour ceux des autres. Avant que le ciel ne me tombe définitivement sur la tête, ne devais-je pas au moins assurer la pérennité de VLB éditeur ? Lanctôt fut catastrophé quand je lui dis que mes appels au secours auprès des gouvernements ayant été vains une fois de plus, j'avais engagé des pourparlers d'affaires avec le groupe Sogides. Bien que les chances fussent à peu près nulles qu'on en arrive à une entente, une mince possibilité n'en existait pas moins pour que la petite maison de la grande littérature change de mains. Lanctôt me pria de n'en rien faire, de prendre des vacances et d'en profiter pour reconsidérer ma décision. Il se disait prêt à assurer la relève, ce dont je ne doutais pas puisque VLB éditeur était devenu sa patrie symbolique et qu'il y occupait désormais autant d'espace que moi-même.

J'allai me réfugier chez le père Paul Aquin à Mont-Rolland pour y entreprendre une retraite fermée. Quand j'en sortis après deux semaines, les choses ne traînèrent plus : je cédai VLB éditeur à Lanctôt et, mon vieux station-wagon plein des cossins de ce qui faisait déjà partie pour moi d'une vie antérieure, je pris définitivement la route des Trois-Pistoles. Je savais pouvoir y retrouver ce plaisir d'écriture qui était depuis les commencements du monde la seule raison que j'avais eue de naître. Je savais aussi qu'avec le temps je me réconcilierais une fois de plus avec mes mots et ceux des autres et que la passion d'éditer me reviendrait. J'ignorais seulement que ça prendrait la forme des Éditions Trois-Pistoles, que j'y accueillerais de nouveau Raôul Duguay et Yvon Paré, Ben Weider et Michel Garneau. J'ignorais surtout que me parviendrait un jour d'Amqui un manuscrit de Nicole Filion et qu'à défaut de l'avoir écrit moi-même, je voudrais l'éditer tellement je le trouverais beau. Pour le reste, disons que je me contentais de rouler vers les Trois-Pistoles, sans honte ni remords d'avoir abandonné VLB éditeur à Jacques Lanctôt puisque je faisais miens les mots de Jacque Ferron :

Il a parlé comme il a pu, en homme sage, pour conjurer la folie par la folie ; il ne pouvait pas faire autrement. Car s'en prendre à la conscience collective qui préside à celle de chacun, essayer de la modifier, c'est en soi une grande entreprise : elle donne satisfaction, qu'on réussisse ou pas.

Trois-Pistoles,
ce 2 septembre 2001

Annexes

Les gaîtés de l'édition

Il y a toutes sortes d'écrivains, mais il y en a surtout deux catégories : ceux qu'on publie et ceux dont on refuse les manuscrits. Dans une maison d'édition, les refusés sont toujours majoritaires. C'est qu'au Québec il y a beaucoup d'écrivains ; une maison comme les Éditions du Jour doit bien recevoir quelque chose comme 600 manuscrits par année. Là-dessus, une soixantaine seulement sont publiés. Sur les 540 qui restent, on en relève un bon nombre qui méritent de passer à l'histoire même si c'est souvent pour des raisons tout à fait étrangères à la littérature.

Les écrivains refusés sont de tout poil. Il y a d'abord ceux qui… n'ont pas encore écrit ! C'est presque toujours un étudiant. Ses premiers contacts avec l'éditeur, il les établit parfois d'une bien drôle de façon ; il demande un rendez-vous, et l'ayant obtenu, il dira à l'éditeur :

« Moi je suis pauvre, voyez-vous, et je n'ai pas de papier pour écrire. Est-ce que vous m'en passeriez ? »

Un autre assurera l'éditeur qu'il travaille à un chef-d'œuvre mais que, pour bien travailler, il lui faut de l'argent. Il exigera donc une avance qu'il considérera comme une « hypothèque sur mon talent ». Mais la porte de l'éditeur passée, le talent fuit et ne revient pas. D'autres encore sont plus subtils : ils disent avoir écrit un manuscrit, mais comme ils n'ont pas de dactylographe, ils demandent de l'argent pour... une secrétaire qui fera le travail à leur place. L'un a même offert de payer de l'intérêt sur la somme que l'éditeur lui avancerait !

Et puis, il y a les maniaques du beau travail. Ils veulent savoir s'ils doivent écrire leur livre sur du papier pelure à double interligne « comme à l'université » et en respectant les marges, si des corrections faites à la main sur le manuscrit « indisposeront les membres du comité de lecture », et les indisposeront tellement qu'ils refuseront de lire leur manuscrit. À l'opposé des maniaques du beau travail, il y a les écrivains poètes, et bohèmes sur les bords, qui présentent leur livre dans un fouillis inextricable de serviettes de table, de cartons de cigarettes, de fiches et de rectos de communiqués. Un poète a même écrit son manuscrit sur des écorces de bouleau !

Mais il y a mieux encore. La plupart des écrivains refusés ont, derrière eux, un long passé de frustration. Et c'est ce chauffeur de taxi, immigré au Québec, qui vint un jour voir l'éditeur « parce qu'il en avait soudainement assez ». Le chauffeur de taxi se plaignait d'être persécuté par la police. « J'ai été témoin à un procès et comme je n'ai pas déclaré devant la cour ce que les policiers auraient voulu que je dise, ils m'en veulent. Tous les jours, je me fais *couper* par des policiers déguisés en civils et par des détectives anonymes. Il faut, Monsieur, que vous fassiez un livre là-dessus. Tenez ! J'ai ici tous les numéros de plaques d'immatriculation des automobiles qui m'ont *coupé.* » Et le chauffeur de taxi de sortir de ses poches une liasse vraiment étonnante de cartons et de bouts de papier remplis de numéros.

Alain Stanké, directeur des Éditions de l'Homme, m'a déjà raconté qu'il reçut un jour un manuscrit… en trois caisses ! L'auteur avait écrit : « Si ça vous intéresse, j'en ai d'autres à la maison. » Un autre avait copié textuellement des articles spéciaux sur la guerre, articles parus dans *Paris-Match*, et les lui avait fait parvenir en jurant qu'il s'agissait là d'un pur chef-d'œuvre québécois. Et quand Jacques Hébert publia *Ma chienne de vie* de Jean-Guy Labrosse, autobiographie d'un orphelin, des dizaines de jeunes gens rappliquèrent aux Éditions du Jour et accusèrent l'auteur de les avoir plagiés. Ils ajoutèrent presque tous :

« Nous, on aurait écrit ça bien mieux que lui. »

Évidemment, les écrivains refusés suivent la mode. Au Québec, il y a d'abord eu l'époque Minou Drouet alors que tous les éditeurs reçurent des manuscrits écrits par des enfants de huit et neuf ans. Certaines mères firent même, auprès de l'éditeur, une espèce de chantage :

« Oh ! Vous ne pouvez pas refuser ce livre ! Ma fille est si sensible, voyez-vous. Vous la rendriez tellement malheureuse. Est-ce que vous l'imaginez lorsqu'elle rentrera ce soir et que, me demandant des nouvelles au sujet de son manuscrit, je lui fasse votre réponse ? Oh ! je la vois déjà fondre en larmes, désespérée, si désespérée, Monsieur ! »

Puis à Minou Drouet succéda Françoise Sagan et, à Françoise Sagan, le docteur Lionel Gendron. Ce médecin devenu célèbre pour avoir vendu au moins 500 000 exemplaires de ses livres sur la sexualité a eu et a encore des imitateurs… moins fortunés. Comme cet écrivain, auteur d'une théorie sexuelle qui voulait que la jouissance ne fût complète que si les partenaires recréaient « la position de l'Équateur », position qu'il expliquait par des formules mathématiques, des tableaux où les sphères et les angles obtus prenaient une place aberrante. Et une jeune femme qui présentait un savant traité sur la sexualité ignorait comment naissent les bébés !

Les auteurs écrivant brusquement sous le feu de l'inspiration ne sont pas rares. Je donnai moi-même un rendez-vous à un ouvrier psychologue qui, dans ses loisirs, allait dans les restaurants où il observait les serveuses. Après plusieurs mois de travaux, de recherches et de réflexions, il en était venu à la conclusion que la prospérité de certains restaurants s'expliquait par… les cheveux des serveuses ! Il avait échafaudé là-dessus toute une théorie qu'il avait commencé d'écrire.

Un écrivain arrive un beau matin aux Éditions du Jour et confie un manuscrit à la secrétaire. « C'est pas la peine de m'écrire, dit-il. Je repasserai dans un mois. » Les jours et les semaines s'écoulent et personne ne vient réclamer le fameux manuscrit qui, naturellement, avait été refusé. En désespoir de cause, on le remise donc quelque part, ce qui, dans le jargon du métier, s'appelle « oublier un manuscrit ». On l'oublie d'ailleurs si bien qu'on finit par le perdre. Un an plus tard, l'écrivain réapparaît presque miraculeusement. Il avait songé, disait-il, à ce qu'il avait écrit, désirait apporter des corrections à « son œuvre » et, pour les faire, réclamait son manuscrit. La secrétaire inventa un prétexte quelconque pour lui cacher qu'on avait égaré son ouvrage. L'auteur dit : « Bon, ce n'est pas grave, je pars en voyage. Je serai de retour dans un mois. Je reviendrai vous voir. » Tout le bureau est mobilisé pour rechercher le fameux manuscrit qu'on trouve enfin. On l'époussette un peu, on le met bien à la vue, et on attend l'auteur... Cela dure depuis un an. Et c'est par hasard qu'on a appris que l'écrivain est en prison pour la troisième fois en trois ans !

L'auteur refusé le plus extraordinaire que j'aie rencontré se présenta un jour à la réceptionniste et demanda à me parler. Quand il s'avança vers moi, je crus d'abord qu'il s'agissait d'un plombier : l'homme, vêtu d'une salopette, d'une chemise à carreaux et d'une casquette maculée de taches d'huile, tenait dans une main un coffret à outils qui était cadenassé. Je le fis passer dans mon bureau et lui demandai ce qu'il venait faire. Il me dit :

« Je suis écrivain, j'ai été publié deux fois chez Gallimard en 1960, ou 1961, et j'aurais des manuscrits très confidentiels à vous remettre. Est-ce que vous me promettez de les lire vous-même et de ne pas les faire sortir de la maison ? »

Pour éviter des palabres inutiles, je le rassurai. « Et vos manuscrits, lui dis-je, où sont-ils ? » Du doigt, il me montra son coffre à outils qu'il avait déposé sur mon bureau. L'homme se leva, sortit de mon bureau, regarda dans le corridor, tira la porte sur lui, jeta un coup d'œil par la fenêtre puis, retirant de sa poche un trousseau énorme, se mit à chercher la clé pour décadenasser son coffre. Au moins cinq minutes passèrent avant qu'il n'y arrivât. Après quoi, il me remit de main à main une dizaine de carnets sur « ma philosophie et mon expérience de la vie, mon cosmos et ma nouvelle religion ». Une fois l'homme parti, j'ouvris l'un des carnets au hasard. À son lecteur, l'écrivain posait la question suivante : « Si une pluie de gommes *balounes* tombe au-dessus du désert de Gobi, qu'est-ce qui arrivera ? » Il donnait lui-même la réponse : « Des perles bleu blanc rouge recouvriront les dunes. » Les dix carnets étaient de cette eau parfois si surréaliste qu'on pouvait penser à quelque bonne imitation de Tristan Tzara.

Trois jours après la visite de l'écrivain, je reçus de lui une lettre « assez farce ». Il disait qu'il venait d'ouvrir un compte à la Banque Royale et qu'on pouvait désormais y déposer tout l'argent qu'on voulait. Le lendemain, le facteur m'apporta une nouvelle missive dans laquelle l'auteur nous suggérait un partage de ses droits d'auteur : « Je donne 8 p. c. à monsieur Jacques Hébert, 6 p. c. à monsieur Beaulieu, 3 p. c. à la secrétaire qui est si fine, 1 p. c. à ma sœur de Sainte-Rose et 0 p. c. à Mère Dubreuil de Saint-Jean-de-Dieu. »

Quand l'auteur revint me voir et m'apporta d'autres carnets, il me dit : « Je sais pas si je pourrai revenir, Monsieur. » Je lui demandai pourquoi et il me répondit : « Bien, voyez-vous, l'autre jour j'étais dans un restaurant de la rue Jean-Talon, et tout à coup j'ai senti qu'on me surveillait. J'ai tourné la tête et j'ai vu un des chefs de la mafia de Montréal qui me regardait. J'ai eu peur et suis parti. Depuis ce temps-là, il y a des détectives en civil qui me suivent partout. Pour moi, ils veulent se débarrasser de moi. Pourtant, je ne leur ai rien fait. »

L'homme avait repris son coffre à outils, l'avait cadenassé, avait mis sa casquette et m'avait quitté en me remerciant de ma collaboration. Je ne l'ai plus jamais revu.

Perspectives,
24 janvier 1971

Petite histoire très carnavalesque des Salons du livre

La première fois que j'ai mis les pieds au Palais du commerce, c'était au milieu des années soixante pour la Foire internationale du livre de Montréal. J. Z. Léon Patenaude avait mis son habit de grand zouave de côté, avait rompu avec Jean Drapeau et se vouait à la cause sacrée du livre en compagnie de Jacques Hébert et de Pierre Tisseyre. Aussi mégalomane que le maire de Montréal, J. Z. Léon Patenaude rêvait de concurrencer en Amérique la Foire de Francfort, haut lieu de rencontre de tous les éditeurs du monde.

Mais la réalité québécoise de l'édition était loin d'être de ce bord-là des choses et, à défaut d'accueillir les grandes maisons étrangères, la Foire internationale du livre de Montréal ouvrit le Palais du commerce aux tireurs de bonne aventure : entre le stand des Éditions du Jour et celui du Cercle du Livre de

France, on entrait dans un tunnel. Au bout de ce tunnel, un autre stand où vous attendaient la carte de votre ciel, la boule de cristal et l'excitant jeu du tarot. On y retrouvait peut-être Kafka et Beckett mais c'était de façon tout à fait absurde, pour ne pas dire entre les lignes.

Cette première expérience m'ayant plutôt désenchanté, je ne serais sans doute plus retourné à une foire ou à un Salon du livre. En 1968 toutefois, Jacques Hébert fit de moi son adjoint aux Éditions du Jour. J'avais à peine pris possession de mon bureau qu'il me fallut déjà décabaner pour Québec où se tenait un Salon du livre. Avant de m'y rendre, je devais prendre à son hôtel l'écrivain français Jean Duché. Non satisfait de me considérer comme son chauffeur attitré, il me demanda aussi, et plutôt avec arrogance, de porter ses bagages ! Jusqu'à Québec, Jean Duché ne m'adressa pas la parole une seule fois : il ne parlait pas aux Sauvages, il les étudiait. Mais quand Jacques Hébert lui apprit que j'étais son adjoint, vous auriez dû voir la tête de Jean Duché : s'il avait pu disparaître sous la pile de livres devant lesquels il était assis, il l'aurait fait.

Pour ma part, j'avoue que l'attitude de Jean Duché n'a pas amélioré mes rapports, déjà plutôt froids, avec les écrivains français et leurs éditeurs. En plus de contrôler plus de 80 % du marché québécois du livre, ils étaient sinon outrecuidants du moins condescendants avec nous, les aborigènes. Ils étaient à eux seuls toute la littérature et ce qu'ils attendaient de nous, c'était que nous leur servions de faire-valoir. Même le grand Bernard Pivot n'échappa pas à la règle. Quand il visita le Salon du livre de Québec en 1981, il se retrouva devant Yves Thériault qui, au stand de ma maison d'édition, dédicaçait ses ouvrages. Yves Thériault faillit s'étouffer de rage quand le grand Bernard Pivot lui demanda : « À part *Valère et le grand canot*, avez-vous écrit autre chose ? »

À la décharge des Français, disons que certains Salons du livre auxquels j'ai participé ne pouvaient que les conforter dans leur attitude un tant soit peu méprisante. Au Salon du livre de Québec toujours, on exhibait des poumons noircis par la nicotine dans de gros bocaux de formol, on accueillait à bras ouverts les extraterrestres, la société du Graal, les raëliens et les adorateurs du soleil de la Fraternité blanche universelle, sans parler d'André Dion et de sa famille qui, revêtus de tutus et d'escarpins, flippaient sur les oiseaux dans des chorégraphies sifflées qui vous donnaient effectivement le goût de migrer au bout du monde.

Ce bout du monde là, ça aurait pu être Drummondville qui pour moi a remporté le championnat toutes catégories de l'originalité depuis que je suis éditeur. C'était au début des années quatre-vingt. Soucieux sans doute de démocratiser la culture, les gens de Drummondville ont jumelé leur Foire agricole et leur Salon du livre. Ça avait lieu en même temps sur le même terrain, en l'occurrence en plein champ, à l'extérieur même de la ville. Le Salon du livre se tenait sous un grand chapiteau, non loin d'un pavillon dans lequel on faisait la traite des vaches. Plutôt qu'aux petits oiseaux d'André Dion et de sa famille, on avait droit à la bouse, aux meuglements ou bien à un petit bœuf boqué qui faisait faux bond à son gardien et voulait nous visiter, sans doute à la recherche des *Vertes Collines d'Afrique* de M. Hemingway!

Ce fut ainsi fort bucolique pendant deux jours. Au troisième, le ciel nous tomba littéralement sur la tête. Dans la nuit, un gros orage frappa Drummondville et le chapiteau, qui avait été mal monté, se mit à couler comme une passoire. On se retrouva dans la boue jusqu'aux chevilles et, pour que les éditeurs puissent se rendre à leurs stands afin de constater les dégâts, il fallut leur construire des trottoirs de bois!

C'est cette même année là d'ailleurs que je fus poursuivi par le plus étrange personnage jamais rencontré au cours des trente ans que j'ai passés dans les Salons du livre. En ma qualité d'éditeur, je participais bon an mal an à une dizaine de ces manifestations, de Hull à Trois-Rivières, de Montréal à Rimouski, de Sherbrooke à Québec. J'eus donc droit plusieurs fois à la visite d'originaux et de détraqués, mais personne n'arrivera jamais à la cheville de cette auteure schizophrène qui courut après moi toute une année durant.

Ça commença d'abord à la maison d'édition. Un jour, une femme y vint, sous le prétexte d'un manuscrit à me présenter. Elle n'était pas assise devant moi depuis trente secondes qu'elle me dit: « Je n'aime pas les vibrations qu'il y a ici. Est-ce qu'on peut aller ailleurs? » Je l'emmenai donc au restaurant. Une fois qu'on s'y fut retrouvés assis, la femme sortit un petit miroir de son sac, déchira un coin de napperon, en fit une boule qu'elle trempa dans un verre d'eau, puis elle colla cette boule-là en plein milieu du petit miroir et me demanda de la regarder fixement pendant trente secondes. Après, elle me dit : « Est-ce que ça va mieux maintenant ? » Je lui répondis : « Je ne me sentais pas mal tantôt. Là, c'est pas mal pareil. » Comme si elle avait eu un ressort sous elle, la femme se leva, me pointa du doigt et, toute contractée du visage, s'écria : « T'es pas tanné de vivre dans ta merde ? Penses-y comme il faut parce que c'est la dernière fois que je te le dis ! » Elle vira ensuite carré et sortit pareille à une furie du restaurant. Ça avait été rien de moins que délirant, mais je ne trouvai pas autre chose à faire que de refouler dans ma mémoire cet épisode farfelu de ma vie d'éditeur.

Le problème, c'est que commença la samba des Salons du livre. Je remplissais mon station-wagon des ouvrages que je publiais et je sillonnais le Québec comme un peddleur de vieux chaudrons. Mais partout où je m'arrêtais, je n'avais pas le temps de monter mon stand que l'étrange créature s'arrêtait devant, me regardait de ses yeux exorbités et, sa main levée dans celle de l'espèce de gorille qui l'accompagnait, me criait : « T'es pas tanné de vivre dans ta merde ? Penses-y comme il faut parce que c'est la dernière fois que je te le dis ! » Elle disparaissait aussitôt jusqu'au Salon du livre suivant. C'était hallucinant, de quoi ne pas comprendre tous ces écrivains qui, interviewés à la télévision, n'en finissent pas de dire qu'ils aiment les Salons du livre parce que ça leur permet de rencontrer enfin leurs véritables lectrices et leurs véritables lecteurs !

Yves Thériault, que j'ai accompagné dans plusieurs Salons du livre, était plus prosaïque. Pour lui, un Salon n'était rien d'autre qu'une occasion de vendre davantage de livres. Comme il trouvait l'atmosphère des Salons généralement trop constipée pour lui, il avait toujours plein d'idées pour les animer. À la fin des années soixante, il proposa à Jacques Hébert de se faire enfermer dans une cage de verre au beau milieu de la salle d'exposition de la Place Bonaventure. Emprisonné vingt-quatre heures par jour dans cette cage de verre, Thériault voulait écrire un roman qu'un imprimeur aurait composé en simultanéité puis imprimé avant la fermeture du Salon. Vers la fin du dernier jour, Thériault serait sorti de sa cage de verre pour lancer officiellement son fameux roman. De peur de se faire accuser de ravaler l'écriture au rang d'un cirque forain, Jacques Hébert ne donna pas suite au projet de Thériault. Quelque temps avant sa mort, l'auteur d'*Agaguk* m'en parlait encore comme d'une formidable occasion manquée.

Pour démontrer que les auteurs ne sont pas toujours aussi honnêtes qu'ils le disent quand ils prétendent mettre la littérature au-dessus de tout, même dans les Salons du livre, une dernière anecdote qui concerne encore Yves Thériault. Dans tous les Salons du livre que nous faisions ensemble, nous avions pris l'habitude de parier : qui de Thériault ou de moi vendrait le plus grand nombre d'ouvrages ? Bien évidemment, Thériault l'emportait tout le temps sur moi, sauf en 1983 où je l'ai battu en utilisant un stratagème dont je me gardai bien de lui révéler le secret. Mon ami Ben Weider dédicaçait l'un de ses ouvrages sur Napoléon au stand de Leméac situé presque en face du nôtre. J'allai le voir et lui demandai son aide pour venir à bout de

Thériault. Ben Weider embarqua dans le jeu et m'envoya tous les lecteurs qui lui rendaient visite. Je pris donc rapidement une bonne avance sur Thériault.

Mais le vieux lion avait plus d'un tour dans son sac à malices. Aussi adopta-t-il une stratégie qui a bien failli lui donner la victoire. Assis derrière sa table, Thériault autographiait sans que personne ne le lui demande l'un de ses livres. Puis il levait la tête et interpellait ainsi quelqu'une des bonnes dames qui défilaient devant lui : « Henriette ! Mais passe pas tout droit ! Viens voir ton vieux chum, voyons ! » La bonne dame s'approchait, Thériault lui rappelait de prétendus souvenirs communs et, quand son interlocutrice protestait qu'il y avait erreur sur la personne, le sacripant rétorquait : « J'aurais pourtant juré qu'on s'était déjà vus quelque part. Mais ça me fait quand même bien plaisir de vous offrir mon livre autographié ! » Il le mettait dans la main de la bonne dame qui, gênée de lui déplaire, se sentait obligée de passer à la caisse !

Il y aurait plein d'autres choses à raconter sur la petite histoire carnavalesque des Salons du livre tels que je les ai vécus depuis trente ans. Mais malgré que le monde ait bien changé, y compris dans notre façon d'aborder le livre à l'occasion de ces grandes manifestations dites culturelles, quelque chose n'a absolument pas bougé depuis 1968 : s'ils sont un peu moins outrecuidants et condescendants qu'autrefois, les Français contrôlent toujours 80 % du marché québécois du livre. Ce qui explique peut-être pourquoi notre édition nationale, même dans les grands Salons du livre, est toujours considérée comme complémentaire de la seule vraie, la française. Tout le reste n'est fondamentalement qu'anecdote et littérature, comme mon texte.

La Presse,
14 novembre 1998

Du même auteur

Mémoires d'outre-tonneau, roman, Montréal, Estérel, 1968.

La Nuitte de Malcomm Hudd, roman, Montréal, Éditions du Jour, 1969.

Race de monde, roman, Montréal, Éditions du Jour, 1969 ; Montréal, VLB éditeur, 1979 ; Montréal, Alain Stanké, 1986 ; Montréal, Typo, 2000.

Jos Connaissant, roman, Montréal, Éditions du Jour, 1970 ; Montréal, VLB éditeur, 1978 ; Montréal, Alain Stanké, 1986 ; Trois-Pistoles, Éditions Trois-Pistoles, 1996 ; Montréal, Typo, 2001.

Les Grands-pères, roman, Montréal, Éditions du Jour, 1971 ; Paris, Robert Laffont, 1973 ; Montréal, VLB éditeur, 1979, Grand Prix littéraire de la Ville de Montréal ; Montréal, Alain Stanké, 1986 ; Montréal, Typo, 2000.

Pour saluer Victor Hugo, essai, Montréal, Éditions du Jour, 1971.

Jack Kerouac, essai-poulet, Montréal, Éditions du Jour, 1972 ; Paris, l'Herne, 1973 ; Montréal, Alain Stanké, 1987.

Un Rêve québécois, roman, Montréal, Éditions du Jour, 1972 ; Montréal, VLB éditeur, 1977.

Oh Miami Miami Miami, roman, Montréal, Éditions du Jour, 1973.

Don Quichotte de la démanche, roman, Montréal, L'Aurore, coll. « L'Amélanchier », 1974 ; Paris, Flammarion, 1978, prix du Gouvernement général du Canada ; Paris, Flammarion, 1979 ; Montréal, Alain Stanké, 1988 ; Trois-Pistoles, Éditions Trois-Pistoles, 1998 ; Montréal, Typo, 2001.

En attendant Trudot, théâtre, Montréal, L'Aurore, 1974 ; *En attendant Trudot* suivi de *Y'avait beaucoup de Lacasse heureux*, Trois-Pistoles, Éditions Trois-Pistoles, 1998.

Manuel de la petite littérature du Québec, anthologie, Montréal, L'Aurore, 1974.

Blanche forcée, récit, Montréal, VLB éditeur, 1976 ; Paris, Flammarion, 1978.

Ma Corriveau suivi de *La Sorcellerie en finale sexuée*, théâtre, Montréal, VLB éditeur, 1976; *Ma Corriveau* suivi du *Théâtre de la folie,* Trois-Pistoles, Éditions Trois-Pistoles, 1998.

N'évoque plus que le désenchantement de ta ténèbre, mon si pauvre Abel, roman, Montréal, VLB éditeur, 1976.

Monsieur Zéro, théâtre, Montréal, VLB éditeur, 1977 ; *Monsieur Zéro* suivi de *La Route de Miami*, Trois-Pistoles, Éditions Trois-Pistoles, 1998.

Sagamo Job J, cantique, Montréal, VLB éditeur, 1977.

Un rêve québécois, roman, Montréal, VLB éditeur, 1977.

Cérémonial pour l'assassinat d'un ministre, oratorio, Montréal, VLB éditeur, 1978 ; *Cérémonial pour l'assassinat d'un ministre* suivi de *L'Écrivain et le pays univoque,* Trois-Pistoles, Éditions Trois-Pistoles, 1998.

Monsieur Melville, essai en trois tomes illustrés, t. I: *Dans les aveilles de Moby Dick* ; t. II: *Lorsque souffle Moby Dick* ; t. III: *L'Après Moby Dick ou la Souveraine Poésie*, Montréal, VLB éditeur, 1978, prix France-Canada; Paris, Flammarion, 1980.

La Tête de Monsieur Ferron ou les Chians, épopée drolatique, Montréal, VLB éditeur, 1979; Trois-Pistoles, Éditions Trois-Pistoles, 1998.

Una, roman, Montréal, VLB éditeur, 1980.

Satan Belhumeur, roman, Montréal, VLB éditeur, 1981, prix Molson; Trois-Pistoles, Éditions Trois-Pistoles, 1999.

Moi Pierre Leroy, prophète, martyr et un peu fêlé du chaudron, roman-plagiaire, Montréal, VLB éditeur, 1982; Trois-Pistoles, Éditions Trois-Pistoles, 1999.

Discours de Samm, roman-comédie, Montréal, VLB éditeur, 1983.

Entre la sainteté et le terrorisme, essais, Montréal, VLB éditeur, 1984.

Pour saluer Victor Hugo, essai, Montréal, Alain Stanké, 1985.

Steven le Hérault, roman, Montréal, Alain Stanké, 1985; Trois-Pistoles, Éditions Trois-Pistoles, 1999.

Chroniques polissonnes d'un téléphage enragé, recueil de chroniques, Montréal, Alain Stanké, 1986.

L'Héritage, t. I: *L'Automne*, roman, Montréal, Alain Stanké, 1987; Montréal, Alain Stanké, 1991; t. II: *L'Hiver* et *Le Printemps*, roman, Montréal, Alain Stanké, 1991.

Votre fille Peuplesse par inadvertance, théâtre, Montréal, VLB éditeur et Stanké, 1990.

Docteur Ferron, essai, Montréal, Alain Stanké, 1991.

La Maison cassée, théâtre, Montréal, Alain Stanké, 1991.

Pour faire une longue histoire courte, entretiens avec Roger Lemelin, Montréal, Alain Stanké, 1991.

Sophie et Léon, théâtre, suivi de l'essai-journal *Seigneur Léon Tolstoï*, Montréal, Alain Stanké, 1992.

Gratien, Tit-Coq, Fridolin, Bousille et les autres, entretiens avec Gratien Gélinas, Montréal, Alain Stanké, 1993.

La Nuit de la grande citrouille, théâtre, Montréal, Alain Stanké, 1993.

Monsieur de Voltaire, essai, Montréal, Alain Stanké, 1994.

Les Carnets de l'écrivain Faust, essai, édition de luxe, Montréal, Alain Stanké, 1995.

Le Bonheur total, vaudecampagne, Montréal, Alain Stanké, 1995.

La Jument de la nuit, t. I : *Les Oncles jumeaux*, roman, Montréal, Alain Stanké, 1995.

Chroniques du pays malaisé 1970-1979, essais, Trois-Pistoles, Éditions Trois-Pistoles, 1996.

Deux Sollicitudes, entretiens avec Margaret Atwood, Trois-Pistoles, Éditions Trois-Pistoles, 1996.

Écrits de jeunesse 1964-1969, essais, Trois-Pistoles, Éditions Trois-Pistoles, 1996.

L'Héritage, théâtre, Trois-Pistoles, Éditions Trois-Pistoles, 1996.

La Guerre des clochers, théâtre, Trois-Pistoles, Éditions Trois-Pistoles, 1997.

Pièces de résistance en quatre services, théâtre, avec Sylvain Rivière, Denys Leblond et Madeleine Gagnon, Trois-Pistoles, Éditions Trois-Pistoles, 1997.

Trois-Pistoles et les Basques. Le pays de mon père, album illustré, Trois-Pistoles, Éditions Trois-Pistoles, 1997.

Le Bas-Saint-Laurent. Les racines de Bouscotte, album illustré, Trois-Pistoles, Éditions Trois-Pistoles, 1998.

Beauté féroce, théâtre, Trois-Pistoles, Éditions Trois-Pistoles, 1998.

Les Contes québécois du grand-père forgeron à son petit-fils Bouscotte, Trois-Pistoles, Éditions Trois-Pistoles, 1998.

Québec ostinato, essai, Trois-Pistoles, Éditions Trois-Pistoles, coll. « Alternatives », 1998.

Manuel de la petite littérature du Québec, essai, Trois-Pistoles, Éditions Trois-Pistoles, 1999.

Un loup nommé Yves Thériault, essai, Trois-Pistoles, Éditions Trois-Pistoles, 1999.

Bouscotte. Le goût du beau risque, roman, Trois-Pistoles, Éditions Trois-Pistoles, 2001.

Bouscotte. Les conditions gagnantes, roman, Trois-Pistoles, Éditions Trois-Pistoles, 2001.

27 petits poèmes dans l'eau des mots, poésie, Trois-Pistoles, Éditions Trois-Pistoles, 2001.

Cet ouvrage composé en Fairfield Light corps 12 sur 16
a été achevé d'imprimer le premier novembre deux mille un
sur les presses de Transcontinental
Division Imprimerie Gagné
à Louiseville
pour le compte de
VLB éditeur.

Imprimé au Québec (Canada)